Historia del Caribe

Una guía fascinante de la historia del Caribe, desde Cristóbal Colón hasta el presente, pasando por las guerras de religión, la esclavitud y las leyes coloniales

Tabla de contenidos

Introducción

El Caribe tiene más de siete mil islas. Trece de ellas son naciones soberanas, y algunas siguen siendo súbditas de sus naciones matrices. A lo largo de los últimos quinientos años, la región ha sido escenario de acontecimientos impactantes, creando una rica historia y cultura.

Al principio, el pueblo taíno se asentó allí, y muchos vivían en tribus separadas. Su historia antes de la época precolonial es desconocida, por lo que solo tenemos conjeturas sobre su procedencia. Pero su presencia se confirmó con el descubrimiento de los exploradores europeos y, posteriormente, con el hallazgo de muchos artefactos.

Cuando Cristóbal Colón descubrió inadvertidamente el Caribe, ya que confundió la región con Asia. Sin embargo, abrió nuevas oportunidades para las naciones europeas. A lo largo de los años, España dominaría la región antes de entrar en guerra con otras naciones, como Francia e Inglaterra.

España siguió reclamando muchas naciones del Caribe hasta finales del siglo XIX, cuando cedió muchos de sus territorios a otros países, como Francia, Estados Unidos y otros.

En la actualidad, algunas naciones europeas siguen reclamando partes del Caribe. La nación de Curazao, en las Antillas Menores, sigue sometida a Holanda. San Cristóbal y Nieves, Antigua y Montserrat son algunas de las naciones que aún se consideran súbditos de la Corona británica.

Algunas de estas naciones caribeñas están avanzando hacia una nueva era. En 2021, el país de Barbados se convirtió en su propia república, aunque sigue formando parte de la Commonwealth británica.

¿Es esto una señal de lo que está por venir para otras naciones aún sujetas a las potencias europeas? ¿Veremos una nueva era de la historia del Caribe escrita en el siglo XXI? Solo el tiempo lo dirá, pero por ahora, es importante comprender el pasado de la región para poder entender su futuro.

Lo que cubre este libro

Con este libro aprenderá sobre la historia del Caribe, empezando por sus primeros años de historia registrada. A continuación se desglosa lo que encontrará en cada capítulo:

- **Capítulo 1:** Este capítulo cubrirá los inicios de la tribu taína y la exploración de Cristóbal Colón. El descubrimiento inicial de Colón lo llevó a establecer un punto de apoyo en la región en nombre de la Corona española, pero sus viajes no aportaron casi nada en su promesa de proporcionar riquezas a España.

- **Capítulo 2:** El descubrimiento del Caribe por parte de Colón sentó las bases para el dominio de España sobre la región. Disfrutaría de sus numerosas reclamaciones sobre la región hasta que entró en batallas con Inglaterra más adelante en el siglo XVII. Con el tiempo, Francia también se uniría a la contienda. Sin embargo, las naciones europeas también se encontrarían luchando contra un enemigo que no estaba en deuda con ninguna nación soberana.

- **Capítulo 3:** Las guerras de religión europeas pronto repercutirían más allá de sus costas. Enfrentó a una potencia europea contra otra. Se hicieron alianzas y se crearon nuevas tensiones. Las guerras de religión durarían más de tres siglos, con la región del Caribe justo en medio de la lucha.

- **Capítulo 4:** Las leyes coloniales comenzaron a tomar forma en un esfuerzo por regular las plantaciones en el

Caribe. El comercio de esclavos comenzó a incrementarse gracias al creciente número de plantaciones. No se toleraba la rebelión, lo que conllevaba graves castigos, incluida la muerte. En el Caribe, muchos afrocaribeños, incluyendo esclavos y personas libres, superaban en número a sus homólogos europeos. Esto hizo que Haití se levantara contra Francia en su lucha por la independencia. La guerra, que duró doce años, resultó en la victoria de los afrocaribeños, convirtiendo a Haití en la segunda nación de América en derrotar a una potencia europea y convertirse en una nación independiente. El siglo XIX fue testigo de muchas rebeliones en todo el Caribe, y la abolición de la esclavitud se hizo realidad.

- **Capítulo 5:** El Caribe fue el escenario de muchas guerras durante el periodo colonial. Las guerras tratadas en este capítulo incluirán las diversas batallas entre las potencias europeas, las revoluciones estadounidense y francesa, y las guerras napoleónicas.

- **Capítulo 6:** A principios del siglo XX, España se vio envuelta en una guerra con Estados Unidos, con sus dos últimos intereses en el Caribe en juego. La guerra resultó en la transferencia de poder de dos de las colonias de España: Cuba y Puerto Rico. En este capítulo también se tratarán los intereses de Estados Unidos en el Caribe, que se remontan a 1823 con la Doctrina Monroe del presidente James Monroe.

- **Capítulo 7:** En el siglo XX, el Caribe fue testigo del declive económico de uno de los principales productos básicos de la región: el azúcar. El Caribe pronto se convirtió en un destino turístico, con gente de diferentes partes de Norteamérica que lo visitaba durante los meses de invierno. Este capítulo también abordará los esfuerzos de las naciones caribeñas durante la Primera Guerra Mundial. Mientras tanto, la población negra del Caribe pronto lucharía por más derechos en sus respectivos países.

- **Capítulo 8:** Algunas de las naciones caribeñas fueron gobernadas bajo brutales dictaduras. Este capítulo abarcará los regímenes de Rafael Trujillo en la República

Dominicana, François «Papa Doc» Duvalier en Haití, y los regímenes de Fulgencio Batista y Fidel Castro de Cuba. Algunas de las naciones independientes del Caribe fueron testigos de un éxodo de personas que abandonaron sus países de origen para dirigirse a Estados Unidos, un lugar donde la gente creía que la libertad era posible.

- **Capítulo 9:** Cuando Cuba se hizo comunista, la Unión Soviética vio la oportunidad de extender la ideología por toda la región. En este capítulo se tratará el incidente ocurrido en Granada en 1983, en el que participaron Estados Unidos y otras naciones del Caribe.

- **Capítulo 10:** Tras el colapso de la Unión Soviética, Cuba seguía manteniendo su condición de país comunista, pero ya no era el lugar de una amenaza mayor. En la actualidad, Estados Unidos sigue manteniendo sus intereses en el Caribe como socio estratégico y económico. Este capítulo abarcará las relaciones entre las naciones caribeñas y las principales potencias del mundo desde finales del siglo XX hasta la actualidad.

A lo largo de estos diez capítulos, desvelaremos la rica historia de la que ha sido testigo la región del Caribe. Explore cómo los pueblos del Caribe lucharon por el cambio político y social mientras eran gobernados por las potencias coloniales. Descubra cómo fueron testigos de la brutalidad y el genocidio a manos de su propio pueblo a mediados del siglo XX. Y aprenda cómo las naciones caribeñas están tomando medidas para ser más pacíficas y prósperas actualmente.

Si desea saber más sobre la cautivadora historia del Caribe, solo tiene que pasar a la página siguiente y comenzar el capítulo 1.

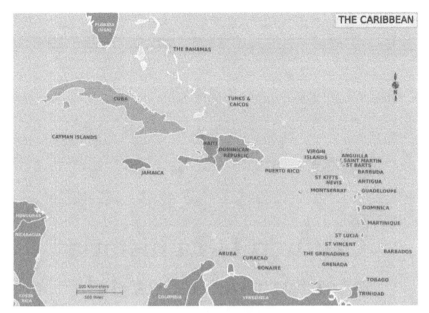

Un mapa actual del Caribe

Cacahuate, CC BY-SA 4.0 <https://creativecommons.org/licenses/by-sa/4.0>, vía Wikimedia Commons; https://commons.wikimedia.org/wiki/File:Map_of_the_Caribbean.png

Capítulo 1 - La historia temprana: Antes del descubrimiento y la exploración de Cristóbal Colón

La historia registrada del Caribe comienza con el descubrimiento del explorador italiano Cristóbal Colón. Sin embargo, antes de su llegada, varias tribus ya residían en la región.

Este capítulo repasará lo que sabemos sobre la historia del Caribe durante los años anteriores al descubrimiento. También hablaremos de la exploración de Cristóbal Colón. Su intención era viajar a Asia para prosperar gracias al lucrativo comercio de especias. Sin embargo, su deseo de viajar al oeste para encontrar Asia lo llevó a descubrir una nueva parte del mundo, al menos para los europeos.

En la época de su viaje, muchas naciones buscaban expandirse más allá de sus fronteras. También buscaban bienes para vender que no podían encontrar en su propio país.

El descubrimiento del Caribe por parte de Cristóbal Colón dio lugar a un aumento de las exploraciones durante los dos siglos siguientes. Pero por ahora, echemos un vistazo a la historia temprana del Caribe.

Años anteriores al descubrimiento: Los taínos y otras tribus indígenas

Se cree que los primeros pueblos que desembarcaron en el actual Caribe ya habitaban la región en el año 5000 antes de Cristo. Se cree que los taínos eran originarios de Sudamérica, aunque no está claro de dónde vinieron exactamente antes de asentarse en el continente.

Los primeros habitantes residían en una isla llamada Ayiti («tierra de altas montañas»). Más tarde, la isla recibió el nombre de La Española tras el descubrimiento de Colón; en ella se encuentran las actuales naciones de Haití y la República Dominicana.

Poco se sabe de Ayiti entre sus primeros asentamientos y la llegada de Cristóbal Colón. Sin embargo, sabemos que los taínos residían en la isla gracias a las excavaciones arqueológicas.

En el siglo XV, los taínos se habían expandido por gran parte del Caribe. Vivían sobre todo en Haití, la República Dominicana, Cuba, Jamaica y Puerto Rico, aunque también había grupos en Florida.

Los taínos se dividieron en tres grupos diferentes. Los taínos occidentales vivían en Cuba, Las Bahamas y Jamaica. (Como nota al margen, se conoce como Las Bahamas con «L» mayúscula, ya que ese es su nombre oficial). Los taínos clásicos se asentaron en Puerto Rico y La Española. Los taínos orientales residían en las naciones de las Antillas Menores, las más cercanas a Sudamérica. Una tribu taína menos conocida viajó más al norte y se instaló en partes de Florida.

Cuando Colón dio a conocer su presencia en 1492, numerosos cacicazgos y territorios del Caribe ya eran reclamados por los taínos. Solo en Cuba había casi treinta cacicazgos. Cuando Colón reclamó Cuba para la Corona española en 1492, muchos pueblos y ciudades recibieron el nombre de cacicazgos taínos.

El pueblo Iñeri

Se cree que el pueblo Iñeri habitó las islas de Barlovento de las Antillas Menores. Eran un subgrupo de los arahuacos, al igual que los taínos. Los iñeris fueron eliminados por las tribus caribes que probablemente llegaron al Caribe desde Sudamérica.

Los caribes vivían principalmente en Sudamérica y las Antillas Menores, pero no hablaban una lengua arahuaca. Cuando llegaron los españoles, utilizaron el término «arahuacos» para referirse a los nativos amistosos y «caribes» para referirse a los hostiles. «Carib» es similar a la palabra arahuaca para «caníbal», y los europeos informaron de cómo los caribes (o kalinago) comían carne humana.

Los hombres caribes podrían haberse acoplado a las mujeres Iñeri después de haber matado a los hombres de la tribu. Sin embargo, esto no se ha demostrado, aunque, con el tiempo, los iñeris comenzaron a hablar caribe, por lo que podría ser posible.

La lengua Iñeri se originó a partir de la lengua arahuaca de Sudamérica. El idioma taíno era distinto, pero tenía similitudes con el arahuaco. Algunos historiadores creen que los caribes conquistaron a los iñeris, pero nunca los desterraron de sus territorios. Los iñeris podrían haber sido absorbidos por la tribu caribe y haber aprendido su lengua. Por desgracia, no tenemos pruebas sólidas de lo que realmente ocurrió, así que tenemos que recurrir a las teorías.

Los kalinago

Los kalinago eran conocidos por otro nombre: caribes o caríbales. Al igual que los iñeris, residían en las Antillas Menores, concretamente en las islas de Barlovento. El Caribe se ganaría su nombre gracias a la tribu caribe.

Los caribes procedían de Sudamérica y se dirigieron al Caribe en torno al año 1200 a. C. Se cree que los kalinago sobrevivieron a sus homólogos taínos, aunque ambos fueron devastados por la colonización europea. En la actualidad, existen pequeños núcleos de etnia caribe que residen en las Antillas Menores.

Los garífunas

Los garífunas, o caribes negros, vivían en las Antillas Menores y en la isla hoy conocida como San Vicente. Eran originarios de África, aunque hay pruebas de su ascendencia indígena americana. Se cree que los garífunas fueron los primeros en llevar las influencias y la cultura africanas a América.

Se cree que su llegada se remonta a principios del siglo XIII. Su punto de origen es África Occidental (concretamente el Imperio de Malí). Utilizaron sus elementos culturales básicos, como la danza y la música, incluso en tiempos de lucha, especialmente cuando los futuros africanos occidentales se convirtieron en esclavos en las colonias. Algunos historiadores sostienen que los garífunas llegaron más tarde, nadando hasta la orilla desde barcos de esclavos volcados en algún momento de mediados del siglo XIX.

Los macorix

Se cree que la tribu Macorix vivía en la zona de La Española, la parte que ahora se conoce como República Dominicana. Hablaban una lengua muy diferente a la de los taínos, pero se sabe que los taínos compartían La Española con los macorix.

Tribus en Florida

Antes del descubrimiento de Florida, se sabe que dos tribus indígenas habitaban la zona. La primera era la de los tequesta, situada en la costa sureste. Se creía que estaban estrechamente emparentados con los taínos, pero aún no hay pruebas definitivas de ello. Parece poco probable, teniendo en cuenta el tiempo que los tequesta vivieron en Florida.

Antes se creía que los lucayos, una rama de los taínos que se asentó en Las Bahamas, procedían de Florida, debido a la proximidad de ambos territorios. Sin embargo, parece poco probable debido a la falta de pruebas arqueológicas; la teoría más probable es que vinieran de Cuba y La Española. Los lucayos fueron los primeros indígenas americanos que conoció Cristóbal Colón.

Cristóbal Colón: Antes del viaje

Cristóbal Colón comenzó su exploración de los mares siendo un niño. Se cree que durante su carrera como marinero, realizó viajes a Inglaterra, Irlanda y el norte de Europa como parte de un convoy armado que llevaba bienes preciosos. Se afirma que Colón realizó viajes hasta el norte de Islandia en 1477.

Ese mismo año se unió a su hermano Bartolomé y continuó comerciando en nombre de una de las familias más ricas de Italia: la familia Centurione de Génova. Tras su regreso de los mares, Colón pasó una temporada en Portugal, donde permaneció hasta 1485. Se casó con la hija de un noble portugués y formó su propia familia.

A principios de la década de 1480, Colón realizó viajes a África Occidental, donde llevó a cabo intercambios comerciales con regularidad. En esa época, los portugueses tenían colonias en la actual Ghana.

Por aquel entonces, Colón empezó a buscar apoyo financiero para su viaje más importante. Su objetivo era introducirse en las lucrativas rutas comerciales entre Europa y Asia navegando hacia el oeste. Si tenía éxito, podría llevar especias y seda a España y recibir un buen pago por su trabajo.

En 1484, comenzó a solicitar el apoyo del rey Juan II de Portugal. El rey recurrió a sus consejeros para que revisaran la propuesta, que finalmente fue rechazada por problemas con la distancia propuesta. Colón esperó otros cuatro años antes de presentar otra propuesta infructuosa.

Colón buscó en otra parte, ya que estaba decidido a emprender su viaje y hacer historia. En 1486, consiguió hablar con la reina Isabel de España, quien envió la propuesta a un comité.

El comité consideró que Colón había subestimado la distancia de la ruta hacia el oeste entre España y Asia. Así, la propuesta fue rechazada, aunque la Corona la conservó para su uso futuro. España pronto proporcionaría a Colón un salario anual de catorce mil maravedíes, que era aproximadamente la paga anual de un marinero.

El Reino de España le enviaría diez mil maravedíes más y le proporcionaría comida y alojamiento gratuitos. Los españoles querían asegurarse de que la idea de Colón no fuera escuchada por ninguna otra nación. En 1489, Colón envió a su hermano Bartolomé a Inglaterra para ver si el rey Enrique VII estaba dispuesto a patrocinar el viaje.

Mientras se dirigía a Inglaterra, Bartolomé fue capturado por piratas. Fue liberado, pero no llegó a Inglaterra hasta 1491.

Mientras tanto, España envió a Colón otro pago para ayudarle a pagar los suministros y solicitó su presencia para discutir su viaje.

Colón no tardó en reunirse con Fernando e Isabel en Granada en enero de 1492. Las discusiones se prolongaron hasta abril, pero por fin se llegó a un acuerdo. Colón recibió su financiación, y si su viaje tenía éxito, se le proporcionaría el rango de «almirante de la Mar Océano». También sería nombrado virrey y gobernador de las tierras que reclamara en nombre de la Corona española.

Colón estaba autorizado a nombrar a tres personas para los cargos de las tierras que reclamara, aunque los monarcas tenían la última palabra. Además, recibiría el 10 por ciento de los ingresos que se obtuvieran.

El primer viaje

Colón inició su primer viaje el 3 de agosto de 1492. Contaba con una tripulación de noventa hombres y tres naves: las famosas *Nina*, *Pinta* y *Santa María*. Los barcos partieron de Palos de la Frontera (España).

Colón quería llegar a Asia por una ruta hacia el oeste. En aquella época, la mayoría de la gente creía que el mundo era redondo, así que Colón pensó que era posible llegar a Asia desde el oeste, descubriendo nuevas tierras para España en el camino. Tenía razón al afirmar que Asia era accesible desde el oeste, pero sus cálculos eran incorrectos debido a que su estimación de la circunferencia de la Tierra era menor de lo que realmente es.

Durante el viaje, Colón y su tripulación creyeron estar cerca de la tierra debido a la presencia de aves. El 12 de octubre, desembarcaron en una de las islas de Las Bahamas conocida como San Salvador. Colón suponía que había desembarcado en algún lugar de las Indias Orientales.

Pasaría el resto de 1492 saltando de una isla a otra en busca de especias, oro, plata y otros bienes preciosos. Sin embargo, no pudo encontrar muchas de estas mercancías. Según las anotaciones de su diario de agosto a noviembre de 1492, documentó su descubrimiento de la fauna marina y el estado de ánimo de la tripulación. Se menciona que los nativos tenían oro, pero no que Colón lo obtuviera para sí mismo. Cuando partió hacia España en 1493, llevó pequeñas cantidades de oro para mostrar los bienes preciosos que podían encontrarse en América.

Colón también sugirió que se esclavizara a los taínos (más concretamente, a los lucayos). Dijo: «Con 50 hombres se los puede subyugar a todos y hacer que hagan lo que se les pide». La esclavización a gran escala no se produjo hasta el viaje de regreso de Colón en 1493, pero tomó rehenes y se llevó a varios taínos a España. A principios de 1493, Colón abandonó La Española y algunos miembros de su tripulación se quedaron para atender el asentamiento que habían creado.

El segundo viaje: Regreso a La Española

Seis meses después de regresar de su primer viaje, Colón emprendió un segundo viaje. Decidió volver a La Española para ver qué había pasado con el asentamiento. Había sido destruida. Se cree que los europeos habían maltratado a los indígenas cercanos, que decidieron estar hartos y masacraron a los colonos.

Colón asignó a sus hermanos, Bartolomé y Diego, la tarea de reconstruir el asentamiento. Mientras lo hacían, los hermanos Colón y parte de la tripulación esclavizarían a cientos de taínos. Cristóbal pronto buscaría más al oeste para encontrar oro.

Su búsqueda de riquezas no dio resultado. En lugar del oro que prometió a la reina Isabel, Colón le llevó quinientos taínos. Doscientos de ellos murieron en el viaje, y muchos murieron tras ser vendidos como esclavos. La reina no quería que los taínos fueran esclavizados. De hecho, decretó que debían ser tratados como súbditos iguales, ya que los veía como potenciales conversos al cristianismo. Sin embargo, Colón y otros continuaron maltratando a los taínos y a otros pueblos indígenas.

Tercer y último viaje

Colón volvió a cruzar el Atlántico por tercera vez en mayo de 1498. Esta vez visitó Trinidad y parte de Sudamérica. Pronto regresó a La Española, donde encontró que el asentamiento había sido destruido una vez más.

Muchos de los colonos y taínos habían organizado una revolución contra Bartolomé y Diego Colón, acusándolos de gestionar mal la colonia y de abusar de ellos. La Corona española no tardó en nombrar un nuevo gobernador, pero el número de taínos siguió disminuyendo.

A mediados del siglo XVI, un cuarto de millón de taínos habitaba la isla; se desconoce cuántos taínos había a la llegada de Colón, con estimaciones que oscilan entre sesenta mil y ocho millones.

La desgracia golpearía a Colón, ya que fue despojado de sus títulos y arrestado por las autoridades españolas en 1500 debido a su brutalidad (algunos sostienen que fue por su agresión a los nativos, mientras que otros dicen que fue por su maltrato a los colonos europeos). Fue liberado poco más de un mes después. En mayo de 1502 comenzó el último viaje de Colón. En este viaje, exploró Panamá y otras partes de América Central.

Cuando partió el último viaje de Colón, los soberanos tenían poca confianza en él, ya que estaba enfermo de salud. Fernando e Isabel le prohibieron volver a La Española para evitar que se repitiera lo ocurrido años antes. La mitad de las naves que traía Colón fueron destruidas por las tormentas y los indígenas de los territorios por los que pasó.

En junio de 1503, uno de los navegantes de Colón se desvió hacia el norte. Una tormenta azotó a la flota y se vieron obligados a tocar tierra en Jamaica, donde quedaron atrapados durante bastante tiempo. Cuando partió, Colón prometió a la Corona española que sería su mejor viaje. Sin embargo, fue quizás su viaje más desafortunado, y perdió su buena fortuna por un mínimo hilo, ya que perdió la oportunidad de descubrir el océano Pacífico a través de Panamá. Probablemente tampoco conoció a los mayas, aunque es posible que los encontrara cuando navegó hacia la península de Yucatán.

Colón regresó a España, donde moriría en 1506. Su promesa a la Corona española nunca se cumplió. Sin embargo, su descubrimiento accidental de una nueva parte del mundo inspiró a España y a otras naciones a explorar más la zona.

Colón volvió al Caribe incluso después de su muerte. En 1542, el hijo de Colón, Diego, hizo enterrar los restos de su padre como último deseo. Fueron enterrados en la catedral de Santo Domingo, en la República Dominicana. Sin embargo, según algunos relatos, los restos fueron exhumados después de que La Española pasara a manos de los franceses y se volvieron a enterrar en Cuba. Y luego, supuestamente, sus restos fueron trasladados después de la guerra hispano-estadounidense a Sevilla, España.

Se afirma que algunos de los huesos de Colón pueden estar todavía enterrados en el Caribe. Se erigió un monumento conocido como el Faro de Colón, situado en Santo Domingo (República Dominicana).

Reflexiones finales

Los taínos fueron uno de los primeros pueblos que pisaron el Caribe. Todavía no sabemos mucho sobre su presencia temprana, pero el descubrimiento de más artefactos y marcas tribales ayudará a los investigadores a llegar a más conclusiones. En cualquier caso, entraron en contacto con Colón y los españoles, lo que cambió su sociedad para siempre.

El número de taínos pronto se redujo. Muchos se convirtieron en esclavos, y la gran presencia de taínos se reduciría a miles en lugar de millones. Los taínos fueron declarados extintos en su día, pero recientes pruebas de ADN demuestran que hay muchos descendientes vivos de los taínos en el Caribe.

Cristóbal Colón no supo aprovechar la oportunidad del comercio de especias en Asia. Hizo todo lo posible por compensarlo descubriendo nuevos objetos preciosos para sus soberanos benefactores.

En su haber, el descubrimiento del Caribe dio a España la oportunidad de expandir su territorio más allá de Europa. La noticia de su descubrimiento también atrajo la atención de gran parte de Europa. Pronto, España descubriría que no era la única nación con intereses en el Nuevo Mundo.

Capítulo 2 - La era posterior a Colón y el surgimiento de las naciones europeas

España y otras naciones europeas no tardaron en sacar provecho del descubrimiento accidental de Colón. Ahora eran conscientes de que existía la oportunidad de crear nuevas colonias. El potencial de encontrar riquezas seguía siendo grande, a pesar de la incapacidad de Colón para producir lo que decía que podía.

Cuando Colón descubrió el Caribe y parte de América, gran parte de Europa prestó atención. Naciones como los Países Bajos, Francia e Inglaterra pronto tendrían sus propios intereses en la región. Sin embargo, las dos naciones de la península ibérica – Portugal y España– dieron el pistoletazo de salida al hacerse con tierras en Sudamérica y Centroamérica. Llevaron el oro a sus países de origen, reforzando su riqueza.

El éxito de ambas naciones despertó el interés de las demás potencias europeas. Sin embargo, la mayoría de estas naciones esperarían casi un siglo o más antes de viajar al Nuevo Mundo.

Este capítulo repasa la historia de las colonias establecidas por España y Portugal. Aunque estas colonias enviaron riquezas a casa, no estuvieron exentas de problemas. Las naciones europeas tuvieron que enfrentarse a los piratas que surcaban alta mar en busca de barcos para robar.

En el Caribe posterior a Colón se libraron intensas batallas por los mayores intereses imaginables.

España afirma su dominio

Tras la muerte de Colón, España retomó el camino donde lo dejó el explorador. España no tenía planes de conquistar a los miembros restantes de los taínos. Pero cuando muchos españoles llegaron a la región, los taínos intentaron resistir sus avances.

Los españoles siguieron descubriendo el Caribe y América Central y del Sur a lo largo del siglo XVI. La afirmación de Colón de que algunas partes de Centroamérica tenían especias y oro acabó siendo cierta.

Los colonos españoles no tardaron en asentarse en zonas donde residían muchos pueblos indígenas. Los nativos se dedicaban a la agricultura y eran gobernados por sus propios líderes tribales. Los españoles se aprovecharon de su mano de obra y los utilizaron para la extracción de materiales y otros bienes preciosos, que enviaron a sus países.

Los taínos que quedaban fueron esclavizados bajo la autoridad de los conquistadores españoles. Aunque la esclavitud indígena estaba prohibida en España, Fernando e Isabel la aprobaron en sus colonias. Los principales problemas de los taínos fueron las enfermedades, el hambre y la brutalidad, que redujeron considerablemente su número.

Las enfermedades extranjeras eran probablemente la principal causa de muerte de los pueblos indígenas. Estos asesinos silenciosos no afectaban a los europeos, que los habían traído al Nuevo Mundo en primer lugar. Los europeos se habían hecho inmunes a enfermedades como la viruela, mientras que los nativos no tenían ninguna.

La muerte de tantos nativos amenazaba las perspectivas de España de extraer materiales, ya que dependían de los esclavos para compensar las pérdidas. Los españoles pudieron adquirir esclavos en otras partes del Caribe, como Jamaica, Cuba y Puerto Rico.

La esclavitud ya existía en el Caribe antes de la llegada de los europeos. Las tribus beligerantes tomaban prisioneros de guerra como esclavos. Su intención era que los esclavos trabajaran para crear un tributo para el jefe que los había apresado.

Este tipo de esclavitud funcionaba bajo un sistema de parentesco. Era similar a las prácticas que se realizaban en África Central y Occidental antes de que comenzara el comercio transatlántico de esclavos.

Establecimiento de las Leyes de Burgos

En 1511, un clérigo dominico llamado Antonio de Montesinos utilizó un sermón para denunciar la crueldad y el abuso de los esclavos por parte de España.

Estos abusos también fueron advertidos en los escritos de otro clérigo llamado Bartolomé de las Casas. Casi treinta años después del sermón de Montesinos, de las Casas escribió lo que se conoce como la leyenda negra. El escrito contenía sentimientos antiespañoles.

El sermón causó malestar entre muchos colonos de La Española. Sin embargo, sirvió para que Casas impulsara su misión contra la crueldad de España hacia los taínos. El resultado fue que la Corona estableció las Leyes de Burgos, destinadas a proteger a los indígenas regulando su trato.

Las Leyes de Burgos se limitaron inicialmente a La Española, pero posteriormente se aplicaron a algunas de las otras islas del Caribe reclamadas por España, como Puerto Rico y Jamaica (que entonces se llamaba Santiago).

Las leyes también establecían normas laborales, como el trato a los trabajadores. Las mujeres embarazadas de más de cuatro meses estaban exentas de cualquier tipo de trabajo pesado. Las leyes entraron en vigor el 27 de diciembre de 1512.

Las exploraciones de Ponce de León

Uno de los primeros exploradores que se puso a las órdenes de la Corona española fue Juan Ponce de León.

En 1508, Ponce de León y su tripulación llegaron a Puerto Rico. La nación insular pronto quedaría bajo control español. La capital de San Juan comenzó a construirse en 1511 y se estableció oficialmente una década después. Desde entonces, San Juan es la capital de Puerto Rico.

Puerto Rico estuvo bajo el dominio de España durante más de cuatrocientos años. El control español comenzó cuando Colón desembarcó en 1493 y no se abandonó hasta 1898, cerca del final de la guerra hispano-estadounidense.

En cuanto a los primeros asentamientos en Puerto Rico, Ponce de León fue el gobernador de la isla desde 1508 hasta 1519, con un intervalo considerable entre 1511 y 1515.

Por sus esfuerzos de exploración en el Nuevo Mundo, la realeza española lo nombró caballero a su regreso a España en 1514. El rey Fernando lo restituyó como gobernador de Puerto Rico y también le dio autoridad para volver a Florida y crear una colonia allí. Dos años más tarde, la muerte llegó para Fernando, y los planes de asentamiento en Florida se retrasaron unos años.

Como parte de su nombramiento como caballero, Ponce de León recibió su propio escudo de armas. Fue el primer explorador español en recibir este honor, que recibió por su exitosa exploración y creación de colonias españolas en el Caribe.

Durante su estancia en España, la Corona española redactó un nuevo contrato. En él se otorgaba a Ponce de León el derecho a establecerse y gobernar Florida junto con una cadena de islas en Las Bahamas conocida como Bimini. La Corona española daba por sentado que Florida era una isla; no sabía que formaba parte del continente norteamericano. El contrato también incluía las condiciones habituales para compartir el oro y otros bienes preciosos con la Corona.

Para luchar contra los caribes y otros invasores, la Corona española ordenó a Ponce de León que formara una armada que pudiera someter cualquier amenaza. Los asentamientos españoles sufrían continuos ataques de los caribes y era necesario hacer algo para garantizar su seguridad. Armado con sus barcos, Ponce de León partió de España el 14 de mayo de 1515.

Después de salir de España, se cree que Ponce de León y su pequeña armada se encontraron con los caribes cerca de Guadalupe, aunque es posible que también hubiera un par de escaramuzas más en la zona. Cuando el rey Fernando murió en 1516, Ponce de León regresó a España para conservar los títulos y privilegios que le había otorgado el difunto soberano.

Ponce de León permanecería en España otros dos años antes de regresar finalmente a Puerto Rico. En 1521, comenzó a planificar el que sería su último viaje a Florida. Organizó una tripulación de doscientos hombres y llevó consigo diversos ganados y equipos agrícolas.

Ponce de León llegó a una zona que se cree que es el suroeste de Florida, cerca del actual puerto de Charlotte. Su tripulación no tardó en enfrentarse a la tribu calusa que residía en la zona. En la escaramuza que siguió, Ponce de León resultó herido.

La tripulación abandonó Florida y se refugió en La Habana. Sin embargo, las heridas de Ponce de León eran demasiado graves, por lo que murió. Se cree que fue alcanzado por una flecha envenenada.

Sus restos fueron devueltos a Puerto Rico, donde fue enterrado en la iglesia de San José. En 1836, sus restos fueron exhumados y vueltos a enterrar en la Catedral de San Juan Bautista de Puerto Rico.

Diego Colón: La continuación del legado familiar

Dos años después de la muerte de Cristóbal Colón, su hijo Diego fue nombrado gobernador de las Indias. Se instaló en Santo Domingo al año siguiente, 1509. Uno de sus principales actos fue enviar a Diego Velázquez de Cuellar a adquirir la vecina Cuba.

En 1511, Cuba, La Española, Puerto Rico y Jamaica estaban bajo la autoridad de Diego Colón. Como parte de su función de gobernador, tenía derecho a una décima parte de los ingresos de España. Debido a su aumento de riqueza y poder, Diego y muchos de los funcionarios del rey Fernando comenzaron a enfrentarse, formando facciones entre sí.

El rey hizo volver a Diego a España en 1514. Aunque Diego tuvo que esperar cinco largos años, sus poderes fueron restaurados por Carlos V, emperador del Sacro Imperio Romano Germánico y rey de España. Diego regresó finalmente a Santo Domingo el 12 de noviembre de 1520.

A su regreso, Diego fue testigo de una revuelta que estaba teniendo lugar cerca de las misiones franciscanas a lo largo del río Cumaná. Tras los intentos fallidos de colonizar la zona y debido a las fricciones de Diego con los responsables, Carlos llamó a Diego de vuelta a España en 1523.

A principios de la década de 1520 se produjo la primera rebelión de esclavos en América. La rebelión la iniciaron en Santo Domingo los esclavos que trabajaban en una plantación de azúcar propiedad de Diego. Muchos de los esclavos huyeron de la zona y se refugiaron entre los miembros restantes de los taínos. Sin embargo, algunos de los esclavos rebeldes fueron arrestados y ejecutados.

Diego Colón vivió sus últimos años en España, donde murió el 23 de febrero de 1526. Su hijo, Luis, fue nombrado almirante de las Indias.

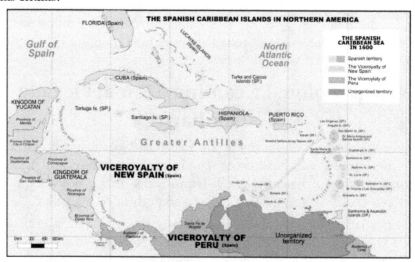

Los españoles dominaban el Caribe en 1600

La exploración francesa del Caribe

A mediados del siglo XVI, Francia ya había alcanzado el éxito en la exploración. Los franceses deseaban extender la religión católica por algunas partes del Nuevo Mundo. Su primera gran exploración comenzó en 1534, cuando Jacques Cartier llegó al actual Canadá y reclamó las tierras que rodeaban el río San Lorenzo en nombre de la Corona francesa.

Cartier afirmó que había riquezas en la zona, pero estas afirmaciones resultaron ser exageraciones, ya que Francia vio un bajo rendimiento en sus ganancias. Cartier no pudo establecer una colonia próspera.

Francia tenía una pequeña presencia en la zona, cerca de la actual Jacksonville, Florida, con el fuerte Caroline. En 1565, las fuerzas españolas de San Agustín expulsaron a los franceses y destruyeron el fuerte en el proceso. De este modo, se preparó el escenario para la guerra entre los dos países.

Samuel de Champlain, que se convertiría en un exitoso explorador por derecho propio, realizó viajes al Caribe una vez finalizada la guerra entre Francia y España. Al principio, Champlain y su tío, el capitán Provenzal, recibieron el encargo del rey Enrique IV de devolver a su país a los soldados españoles capturados.

Una vez que los soldados regresaron a suelo español, los franceses no volvieron a casa. En cambio se les encargó que viajaran al Caribe. Champlain realizó tres viajes distintos entre 1599 y 1601 a las colonias españolas de América, incluidas las Islas Vírgenes y Puerto Rico.

Informó de sus hallazgos a Enrique IV, que incluían su descubrimiento de las plantas y animales de la región. También envió al rey mapas de la región, que resultarían útiles a muchos exploradores en los años siguientes.

Se cree que Champlain fue uno de los primeros en sugerir la creación del canal de Panamá. Sin embargo, nunca vería ese proyecto materializado en su vida; el canal acabaría creándose más de trescientos años después. Aunque Champlain había estado explorando en nombre de España, sus hallazgos sentaron las bases para que Francia colonizara partes del Caribe.

En los años siguientes, Champlain se dirigió al norte para establecer colonias en nombre de Francia en partes del actual Canadá. Francia no establecería una colonia permanente en el Caribe hasta 1625.

Francia pretendía establecer su dominio en el mercado comercial. Los franceses querían comerciar principalmente con café y azúcar. Hicieron importar esclavos de África para trabajar en las plantaciones. En Saint-Domingue se estableció una de las colonias más ricas de Francia (y del mundo).

Aunque Saint-Domingue (la actual Haití) tuvo un éxito increíble, no empezó así. Los bucaneros franceses crearon un asentamiento allí en 1625, pero los españoles se resistieron a su presencia, quemando sus asentamientos una y otra vez.

Por tanto, Saint-Domingue no fue la primera colonia permanente de Francia en el Caribe. Ese honor corresponde a San Cristóbal, cuya colonia se estableció en 1627 (algunas fuentes dicen 1625). Para entonces, los ingleses ya habían establecido su propia colonia. Los franceses y los ingleses se repartieron la isla, aunque las tensiones entre ambas partes aumentaron constantemente. La isla sufrió un tira y afloja entre las dos naciones hasta que los británicos se impusieron en 1783.

Pierre Belain d'Esnambuc, comerciante y explorador, descubrió San Cristóbal para los franceses. También creó un asentamiento francés en Martinica y Guadalupe en 1635.

La colonia de Martinica, Saint-Pierre, utilizaba la tierra para la producción de caña de azúcar. Los franceses de la isla se vieron envueltos en varias batallas con los caribes. Se llegó a un punto en el que los colonos tuvieron que trasladarse a la parte oriental de la isla.

Tras la muerte de Belain en 1636, su sobrino, Jacques Dyel du Parquet, se hizo cargo de la colonia. Fue nombrado gobernador de Martinica en 1636 y permaneció en la isla. Poco después, se construyó el fuerte Saint Louis, que acabaría siendo destruido y reconstruido como Fort-Royal (hoy se conoce como Fort-de-France).

Du Parquet amplió la presencia de Francia en el Caribe. Decidió que las mejores oportunidades de Francia estaban en el sur. En

1643, los franceses establecieron un asentamiento permanente en Santa Lucía, y en 1649, los franceses se asentaron en la nación insular de Granada.

A principios de la década de 1640, la Compagnie des Îles de l'Amérique («Compañía de las Islas de América») renovó sus estatutos para los siguientes veinte años. Sin embargo, la compañía no sobrevivió tanto, ya que se disolvió en 1651. A lo largo de su vida (1635-1651), la compañía tenía derechos sobre Guadalupe, Martinica, Santa Lucía, San Martín, Granada, San Bartolomé y Santa Cruz.

Tras la disolución de la compañía, la familia du Parquet adquirió las islas de Martinica, Santa Lucía y Granada. Charles d'Houël du Petit Pré, que era entonces gobernador de Guadalupe, compró la isla que supervisaba, junto con tres pequeñas islas cercanas.

Los caballeros de Malta, dirigidos por Philippe de Longvilliers de Poincy, compraron Santa Cruz, San Martín, San Cristóbal y San Bartolomé.

La llegada de los holandeses al Caribe

Carlos I de España (más recordado como Carlos V, emperador del Sacro Imperio Romano Germánico) heredó los Países Bajos antes de ser coronado emperador del Sacro Imperio Romano Germánico en 1519.

Con el tiempo, los Países Bajos se convirtieron en una de las mayores potencias económicas y militares del mundo. En ese momento, su gobierno era más bien una república, no una monarquía absoluta. Esto contrasta con la época en que estuvo bajo el dominio de los Habsburgo, de 1482 a 1581.

El pueblo de los Países Bajos puso de su parte para ayudar a su país y fue recompensado por sus esfuerzos. Los comerciantes pagaban impuestos al gobierno, lo que permitió que el país se enriqueciera. A cambio, los Países Bajos pudieron defender sus fronteras contra los intrusos mientras cuidaban de su pueblo y se expandían.

Los holandeses se centraron en la expansión religiosa. A diferencia de Francia y España, que eran naciones católicas, los Países Bajos eran fuertemente protestantes. Los holandeses estaban decididos a difundir el calvinismo y estaban dispuestos a explorar el Nuevo Mundo para difundir su mensaje.

En 1602, se creó la Compañía Holandesa de las Indias Orientales para llevar a cabo el comercio en Asia. En 1621, se formó la Compañía Holandesa de las Indias Occidentales, creando un punto de apoyo para el comercio en las Américas, que incluía el Caribe. Los holandeses ya habían reclamado territorios en América del Norte, como partes de la actual Nueva York, incluida la ciudad de Nueva York. Sin embargo, aún no se habían establecido en el Caribe.

Eso no sería así durante mucho tiempo. Los holandeses realizaron su primer asentamiento en el Caribe en 1628. Aunque construyeron un fuerte en la actual isla de Tobago, las tribus indígenas atacaron el asentamiento. Los holandeses lo abandonaron durante tres años, pero volvieron en 1633 para restablecerlo. Esta vez, los españoles la destruirían, haciéndolo en represalia por el apoyo de los holandeses a una revuelta en la vecina isla de Trinidad.

Tobago fue testigo de los intentos de colonización de varios países europeos. Además de los Países Bajos, Inglaterra, Francia, España e incluso Suecia tenían intereses en la isla. Tobago cambió de manos treinta y tres veces antes de ser entregada finalmente a Gran Bretaña en 1814 como parte del Tratado de París.

Los holandeses también se establecieron en las islas de Bonaire y Curaçao, en el sur del Caribe, en 1634. En los seis años siguientes, reclamaron otras islas, como Sint Eustatius (San Eustaquio en neerlandés) en 1636 y Aruba en 1637.

Hacia 1640, los holandeses reclamaron islas más pequeñas, como Tórtola, Virgen Gorda, Jost van Dyke y Saba. No hace falta decir que los holandeses se dieron a conocer en el Caribe.

Las reclamaciones de Inglaterra en el Caribe

La presencia de Inglaterra en el Caribe formaba parte de su gran expansión por el mundo. Pretendía establecer una ruta más corta hacia Asia y creía que la respuesta a su problema estaba en el oeste. Los marineros ingleses eran muy hábiles y competentes, especialmente cuando se trataba de viajes largos.

Uno de los primeros ingleses en llegar al Caribe fue John Hawkins, que viajó allí en la década de 1560. Consiguió transportar muchos esclavos desde África para venderlos a los españoles en sus numerosas colonias del oeste. Hawkins tuvo éxito, pero el trabajo que realizaba se consideraba ilegal.

Sin embargo, algunas autoridades españolas no pensaron en ello y pagaron a Hawkins por sus servicios. El gobierno español acabó enterándose de estas acciones y protestó porque una nación católica no tenía nada que hacer con una nación protestante como Inglaterra. Los siguientes viajes de Hawkins no tuvieron tanto éxito.

A pesar de ser el arquitecto jefe de la Royal Navy, John Hawkins no es tan conocido como el corsario inglés Francis Drake, quien encabezó una misión en Panamá en la década de 1570. Sin embargo, no era la primera vez que navegaba por el Caribe; de hecho, trabajó a las órdenes de John Hawkins. Drake fue el primer inglés en ver el océano Pacífico, y más tarde daría la vuelta al mundo.

Pero en la década de 1570, su objetivo no era la circunnavegación, sino atacar los asentamientos españoles. El mayor logro de Drake se produjo en marzo de 1573, cuando capturó Nombre de Dios, conocido por sus reservas de plata.

Como resultado del ataque de Drake y la toma de barcos y asentamientos españoles, las relaciones entre Inglaterra y España dieron un giro negativo. Cuando Drake capturó Nombre de Dios, los dos países estaban en paz, aunque las tensiones ya iban en aumento. En 1585, los españoles se habían propuesto capturar barcos ingleses. La guerra anglo-española, iniciada en 1585, duraría hasta 1604.

Drake apareció en 1588 en el sur del Caribe mientras se dirigía a Sudamérica. Se enfrentó a una armada española, que él y su tripulación lograron rechazar. Esto sirvió para demostrar que Inglaterra era una potencia en ascenso.

Mientras tanto, otro marino inglés llamado Walter Raleigh intentó establecer una colonia en América. Se instaló en Trinidad en 1595, expulsando a los españoles. Exploró el Caribe en busca de la misteriosa ciudad de oro conocida como El Dorado.

Raleigh no encontró la legendaria ciudad, aunque tuvo bastante éxito al repeler a los españoles y ganarse la confianza de los nativos. Regresó a Inglaterra sin mucho que mostrar por sus esfuerzos. Finalmente, sus relaciones con el rey Jacobo I se agriaron y Raleigh fue ejecutado en 1618.

Cuando los ingleses dirigieron su atención al Caribe, ya habían establecido un exitoso asentamiento en las Américas. En 1607 fundaron Jamestown, en la actual Virginia. Su éxito se debió a sus cultivos de tabaco.

Sin embargo, los ingleses vieron en el Caribe una oportunidad para ampliar su ya exitosa economía tabacalera. Una de las primeras islas que los ingleses colonizaron fue Bermuda. Los barcos desembarcaron allí debido a una tormenta en 1609. Para 1612, habían creado la capital de Bermudas, San Jorge. Hamilton se convirtió en la capital de las Bermudas en 1815.

Las Bermudas suelen incluirse en la lista de naciones caribeñas, pero en realidad están al norte del mar Caribe. El primer asentamiento inglés exitoso en el Caribe se estableció en 1623, cuando se reclamó la isla de San Cristóbal en nombre de la Corona inglesa. Los ingleses pronto se encontraron con la interferencia de los franceses, que establecieron su propia colonia en la isla. Como ya hemos comentado, ambos se repartieron la isla; sin embargo, la paz no estaba en sus planes. Los británicos expulsaron a sus homólogos franceses a finales del siglo XVIII.

Los ingleses establecieron asentamientos en Barbados en 1627 y en Nieves, una isla cercana a San Cristóbal, en 1628. Estas islas eran perfectas para plantar y cultivar tabaco.

Lamentablemente, los colonos de estas islas enfermaron a causa de varias enfermedades, como el cólera, el tifus y la gripe, entre otras. Estas enfermedades eran frecuentes desde el descubrimiento del Caribe por parte de Colón. Aparte de los colonos, las tribus indígenas fueron las más afectadas debido a su desconocimiento de estas enfermedades y a la falta de cuidados (en comparación con los que recibían los colonos).

Debido a la disminución del número de colonos, los ingleses recurrieron a criados de su propia nación para mantener los asentamientos a flote. Sin embargo, con la sobreproducción de tabaco en el Caribe y Virginia, su precio caería.

Inglaterra decidió diversificar sus cultivos en lugar de depender de uno solo, aunque ese cultivo tuviera una gran demanda. Así, los ingleses empezaron a cultivar algodón y maíz. Sus intentos de sacar provecho de estos cultivos no fueron tan fructíferos, aunque el algodón representaría casi la mitad de las exportaciones británicas a finales del siglo XVIII.

Los ingleses no tardarían en introducirse en el comercio del azúcar. Los cultivos de azúcar trajeron prosperidad a la región del Caribe durante varios siglos. En 1632, Inglaterra estableció las islas de Antigua y Montserrat (esta última fue colonizada por católicos irlandeses). Inglaterra no establecería otro asentamiento hasta casi dos décadas después, añadiendo Anguila en 1650 y finalmente Tórtola en 1672.

Inglaterra también reclamó notablemente Jamaica en 1655. El año anterior, Oliver Cromwell planeó un ataque sorpresa contra los españoles, que poseían la isla en ese momento. Su intención era fortalecer la economía de Inglaterra y, al mismo tiempo, encontrar un lugar para que los veteranos de las guerras de los Tres Reinos (conflictos relacionados que tuvieron lugar en Inglaterra, Irlanda y Escocia) se establecieran debido a su descontento con Inglaterra.

Cromwell también se encargó de declarar la guerra a España. Esto se debió al hecho de que no aprobaba el catolicismo. Los puritanos de Inglaterra eran considerados la autoridad religiosa de la época.

Una flota partió de Inglaterra con casi tres mil tripulantes, entre marineros y tropas. Pronto se encontraron con otras fuerzas inglesas en las Indias Occidentales, cuyo número ascendía a casi ocho mil. El general Robert Venables y el almirante William Penn compartían el mando.

España se dio cuenta de la intención de Inglaterra de invadir el Caribe meses antes de la partida de la flota inglesa. Los españoles supusieron correctamente que Inglaterra iba a apuntar a La Española, por lo que reforzaron sus defensas alrededor de la isla.

En enero de 1655, los ingleses llegaron a Barbados, donde permanecieron un par de meses. El 13 de abril, las fuerzas de Venables llegaron a Santo Domingo (República Dominicana). Cuatro mil hombres estaban listos para tomar las armas a su llegada; más de mil de ellos murieron por combate o enfermedad.

Venables y sus hombres abandonaron Santo Domingo el 25 de abril. Venables y Penn no habían tenido una relación amistosa durante el viaje. Y la pérdida de Venables en Santo Domingo deterioró aún más su relación.

Los hombres creían que Jamaica, al ser una isla más pequeña, ofrecería menos resistencia. Al fracasar su misión original de capturar Santo Domingo, Penn y Venables encontraron una oportunidad alternativa. Pronto se convertiría en una que decidió el destino de ambos hombres.

Penn llevó su flota a Jamaica, donde fueron avistados el 19 de mayo por colonos españoles. Dos días después, Penn y su tripulación llegaron a la bahía de Caguaya. Las fuerzas españolas que defendían la zona pronto se rindieron.

Un Venables enfermo se dirigió a Santiago de la Vega, que había sido reclamada por Penn tras su ataque a los españoles, casi una semana después. Dejó claros los términos de la reclamación de Inglaterra. Jamaica estaba ahora bajo la autoridad de Inglaterra. Los ingleses dieron a los colonos españoles la oportunidad de abandonar la isla o enfrentarse a la muerte; muchos de ellos huyeron a Cuba.

Penn volvió a casa en junio de 1655. Venables llegaría unos dos meses después, todavía enfermo y desnutrido. Debido a su fracaso en la captura de La Española, Cromwell castigó tanto a Penn como a Venables encarcelándolos en la Torre de Londres.

Poco después, Penn y Venables fueron liberados. Penn reconstruyó su vida como político. Su hijo, también conocido como William Penn, se convertiría en un explorador por derecho propio, estableciendo lo que se conoce como la actual Pensilvania.

Para Venables, su carrera militar llegó a su fin, aunque fue nombrado gobernador de Chester. Pero fue destituido del cargo cuando Carlos II fue restaurado en el trono.

Venables se convirtió en partidario de los no conformistas, un grupo religioso que se negaba a conformarse con la Iglesia de Inglaterra y su gobierno. Sus años restantes fueron mayormente tranquilos, y murió el 10 de diciembre de 1687.

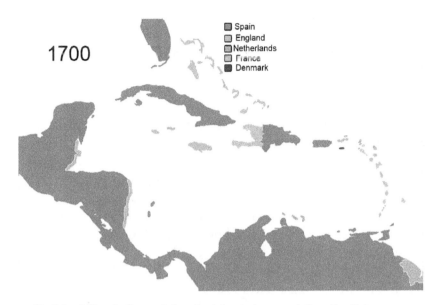

1700

Spain
England
Netherlands
France
Denmark

Political Evolution of Central America and the Caribbean

Un mapa básico de lo que los países europeos supervisaban en el Caribe en 1700
https://commons.wikimedia.org/wiki/File:Political_Evolution_of_Central_America_and_th
e_Caribbean_1700_na.png

La piratería en el Caribe

«En un servicio honesto hay pocos bienes comunes, salarios bajos y trabajo duro. En esto, abundancia y saciedad, placer y facilidad, libertad y poder; y quién no equilibraría acreedor por este lado, cuando todo el riesgo que se corre por él, en el peor de los casos es solo una mirada agria o dos a la asfixia. No, una vida alegre y corta, será mi lema». — *«Black Bart» Roberts*

Ya en el siglo XVI, los piratas hacían acto de presencia en el Caribe. Los primeros piratas tenían experiencia en la navegación y la guerra marítima. Buscaban capturar barcos europeos y robarles todo lo que tuviera valor.

Algunos piratas habían sido previamente sirvientes en el Caribe. Henry Morgan podría entrar en esta categoría, aunque algunos piensan que podría haber formado parte de la tripulación de Venables en el intento de tomar La Española. Morgan se convirtió en corsario (un pirata legal); sin embargo, el término «pirata» podría encajar mejor con él debido a su desprecio por la legalidad de los ataques. Llegó a ganar suficiente dinero para poseer una plantación en la que trabajaban esclavos. Morgan y su tripulación se convirtieron en una fuente de problemas para los españoles en torno a Jamaica, navegando hasta Venezuela y Panamá.

Al principio, los objetivos de los corsarios eran los barcos de otras naciones europeas; por ejemplo, los corsarios ingleses se centraban principalmente en los barcos españoles. Las colonias nunca dieron a la piratería un estatus legal completo, pero los corsarios contaban con la bendición de su país. Navegaban con sus propios barcos y atacaban a los de las naciones en guerra. Recibían una gran parte del botín y la Corona tenía un barco menos con el que luchar en alta mar. Esencialmente, atacaban a otros como un acto de guerra. A los piratas, en cambio, no les importaba la procedencia del barco; estaban más centrados en obtener un tesoro que en luchar en una guerra.

Los ingleses no eran los únicos que contrataban corsarios. Antes de que la reina Isabel promoviera la piratería mediante el uso de corsarios, Francia ya daba rienda suelta a sus hombres cuando se trataba de los españoles, ya que el rey Francisco I quería debilitar las economías comerciales de España y Portugal. Durante casi cuatro décadas, los corsarios franceses se dirigieron a los barcos españoles. Más tarde, los corsarios de Inglaterra y los Países Bajos realizaron sus propios ataques contra las naciones enemigas. Aunque los corsarios luchaban en el marco de una guerra, sabían que el Caribe estaba repleto de riquezas. Para ellos tenía mucho sentido ir allí donde estaba el dinero.

Los piratas y corsarios consideraban que el gran número de islas y bahías eran lugares perfectos para esconderse entre los objetivos de saqueo. Es posible que fueran conscientes de que las islas no solían tener muchos habitantes. Muchos pueblos indígenas habían muerto a estas alturas, principalmente a causa de las enfermedades, aunque la esclavitud y los conflictos también se cobraban un precio.

Los piratas no esperaban demasiada resistencia cuando visitaban una isla. Normalmente, los miembros de la tripulación podían defenderse de cualquier invasor y, en los asentamientos más grandes, los piratas podían vender los bienes que robaban a cambio de un precio.

Francia e Inglaterra solían reclutar piratas para que trabajaran como corsarios y atacaran los barcos españoles. Les expedían cartas de marquesina y les daban plena confianza en sus servicios. Tanto Francia como Inglaterra también prometieron no castigarlos por la piratería (que, en aquella época, se castigaba con la ejecución).

En la década de 1560, España creó un sistema de convoyes que protegería sus barcos del tesoro de los ataques de los piratas. Una de las rutas utilizadas por España partía de Centroamérica y pasaba por el canal de Yucatán. Los barcos utilizaban los vientos del oeste para la última parte de su viaje a Europa.

España se encontró con que solo comerciaba con los mercaderes de sus propias reclamaciones en América, ya que los españoles no podían hacer cumplir las leyes comerciales que promulgaban ni controlar una amplia zona de los mares. Esto creó un caldo de cultivo para el contrabando y abrió oportunidades para que otras potencias europeas reclamaran sus derechos en el Caribe.

Aunque España intentó preservar su comercio y riqueza, su poder militar disminuyó. Como resultado, otras naciones comenzaron a violar las leyes comerciales. La piratería continuó hasta bien entrado el siglo XVII, alcanzando una «edad de oro» en la década de 1650.

En 1651, Inglaterra aprobó la Ley de Navegación. Antes de su creación, Inglaterra se encontraba en plena guerra civil. Las líneas de suministro entre las colonias norteamericanas e Inglaterra se veían interrumpidas.

Inglaterra tenía que mejorar sus relaciones comerciales con los Países Bajos y Francia para seguir importando sus productos manufacturados a sus colonias en América. La Ley de Navegación pretendía que solo los barcos ingleses pudieran importar productos a las colonias inglesas. Mientras tanto, las colonias norteamericanas solo podían exportar sus productos, como el azúcar y el tabaco, a Inglaterra.

Se creía que la Ley de Navegación contenía disposiciones dirigidas específicamente a los holandeses. En ese momento, los holandeses parecían tener un control considerable sobre el comercio en Europa, y la ley excluía a los holandeses de comerciar directamente con Inglaterra.

Las dos potencias entrarían en guerra en tres ocasiones diferentes durante el siguiente cuarto de siglo. Esto ocurrió junto con otras guerras entre países europeos.

Los piratas aprovecharon esta oportunidad para hacer lo que mejor sabían hacer. Los gobernadores de las islas coloniales solían utilizar a los piratas para proteger sus respectivas reclamaciones o luchar en nombre del país en su conjunto. Sin embargo, no pudieron controlar a los piratas debido a su codicia y falta de disciplina. Y una vez terminada la guerra, era muy fácil que un corsario cayera en la piratería.

Las naciones europeas acabaron dejando de depender de los piratas y corsarios en sus guerras. Tenían suficiente poder militar para luchar por sí mismas. Esto amenazó el sustento de los piratas, especialmente cuando las naciones europeas decidieron tomar medidas enérgicas contra la piratería. La Ley de Transporte de 1717 es una de las primeras políticas conocidas para combatir y castigar la piratería en América. En 1720, los piratas del Caribe eran muy escasos.

Gran Bretaña, que para entonces era una superpotencia, pudo ahuyentar a muchos piratas, especialmente a los que estaban cerca de Jamaica. Pronto fue muy difícil conseguir cartas de marquesina. La guerra de los Treinta Años aceleró el declive de la piratería en el Caribe. Sin embargo, hubo actividad pirata hasta bien entrado el siglo XVIII. Y aunque los piratas fueron reprimidos, hubo mucho contrabando debido a las leyes comerciales promulgadas por los gobiernos británico y español.

Hoy en día existen todavía piratas en el Caribe, aunque su número no se acerca ni de lejos al de la Edad de oro de la piratería.

Reflexiones finales

La época posterior a Colón en el Caribe fue testigo de años de crecimiento y prosperidad. Sin embargo, muchas naciones europeas querían una parte de la región. Empezaron a surgir guerras, y los piratas y corsarios empezaron a aprovechar las oportunidades para vivir su vida de ensueño.

Durante los tres siglos siguientes, el Caribe fue el telón de fondo de innumerables guerras entre naciones europeas. Las guerras se libraron por algo más que por la tierra y el comercio. También se luchó para combatir diferentes ideologías cristianas.

Capítulo 3 - Las guerras de religión europeas y su efecto en el Caribe

Las cuatro principales naciones europeas —España, Francia, Inglaterra (que formó el Reino Unido de Gran Bretaña en 1707) y los Países Bajos— reclamaron sus derechos en el Caribe. Las naciones lucharían entre sí por el comercio y el territorio, pero había una guerra aún mayor en Europa.

España, Francia y el Sacro Imperio Romano Germánico eran tres naciones europeas católicas. Mientras tanto, Inglaterra y los Países Bajos eran mayoritariamente protestantes. Sin embargo, no importaba mucho, ya que dos de las naciones católicas se enfrentaron entre sí en 1635.

Aunque las guerras de religión se originaron en la Europa continental, llegarían al Caribe. Las naciones europeas aprovecharon la oportunidad de explorar el Nuevo Mundo para difundir sus respectivas ideologías religiosas. España quería que la mayoría de los nativos del Caribe se convirtieran al catolicismo. Sin embargo, los holandeses pretendían difundir el calvinismo en sus pretensiones en la región.

Las guerras de religión europeas durarían unos dos siglos, desde el XVI hasta principios del XVIII. Una de las principales guerras de este conflicto religioso fue la guerra de los Treinta Años, que se libró por motivos religiosos y rivalidades entre las naciones europeas.

Pero, ¿cómo afectó esta guerra al Caribe? Lo que ocurrió en la Europa continental llegó a las tierras que reclamaban las distintas potencias.

El inicio de las guerras de religión europeas

En 1517, un sacerdote alemán llamado Martín Lutero escribió una carta al obispo Albrecht von Brandenburg sobre la venta de indulgencias (pago a la iglesia por el perdón de los pecados) por parte de la Iglesia católica. La iglesia pretendía utilizar los ingresos de las ventas para reconstruir la Basílica de San Pedro.

En la carta, Lutero protestaba por la venta e incluía una copia de sus escritos titulados «Cuestionamiento al poder y eficacia de las indulgencias». También se conocen como las *noventa y cinco tesis*. Se cree que el mismo día en que se escribió la carta, Lutero clavó las *noventa y cinco tesis* en la puerta de la Iglesia del Castillo en Wittenberg, Alemania. Este acontecimiento dio el pistoletazo de salida a la Reforma.

La copia que recibió Albrecht fue enviada a Roma para que fuera inspeccionada en busca de declaraciones heréticas. En junio de 1520, el papa envió a Lutero una bula papal (un edicto de la iglesia), amenazando con la excomunión de la iglesia a menos que Lutero se retractara de las *noventa y cinco tesis* y de cuarenta y una frases de sus escritos anteriores.

Lutero quemó la bula papal y fue excomulgado por la iglesia en enero de 1521. Esto provocó un cisma en la Iglesia católica, ya que los que creían en los escritos de Lutero (que iban más allá de condenar a la Iglesia por la venta de indulgencias) se separaron y formaron religiones protestantes. Por ejemplo, el luteranismo comenzó aquel fatídico día en Wittenberg, aunque muchos sostienen que Lutero no se propuso separarse de la iglesia. Su mensaje atrajo a muchos seguidores, especialmente de Alemania.

Lutero perseguía el control de la Iglesia católica sobre varias cosas, incluyendo la doctrina y las normas de moralidad. También utilizó una fórmula de tres aspectos: «solo por la fe», «solo por las escrituras» y «solo por la gracia».

La fe sola o *sola fide* es la creencia de que una persona puede salvarse solo por la fe. Lutero creía que nadie podía ganarse la salvación solo con buenas obras.

Solo las escrituras o *sola scriptura* significa que la verdad está en la palabra de Dios y en la propia escritura. Lutero afirmaba que la Biblia era la autoridad y el medio de comunicación entre Dios y su pueblo.

La gracia sola o *sola gratia* afirma que una persona no puede conocer la verdad sobre la salvación o hacer el bien sin la gracia de Dios. Estos mensajes enfurecieron a muchos católicos de toda Europa.

El primer conflicto violento relacionado con las guerras de religión comenzó en 1524 con la guerra de los campesinos alemanes. Las enseñanzas de Lutero y las tensiones religiosas y sociales se mezclaron, provocando el estallido de la violencia.

Mientras tanto, otro clérigo lideraba la Reforma. Juan Calvino creía que las leyes de Dios debían seguirse y no cuestionarse. Creó el calvinismo, que pronto se hizo predominante en Alemania y el norte de Europa, incluidos los Países Bajos. También se abrió paso en Francia, dando lugar a la creación de los hugonotes.

La Iglesia católica comenzó a cuestionar las enseñanzas de Lutero y Calvino. Los jesuitas, una orden de la Iglesia católica, intentaron utilizar la educación y otros medios para rechazar la herejía protestante.

Las guerras de religión provocaron muchos conflictos violentos entre 1560 y 1712. En ese periodo de tiempo, Europa vio un total de treinta años de paz. Una de las mayores guerras de religión duraría el mismo tiempo y coincidiría con otra guerra que duró casi tres veces más.

La guerra de los Ochenta Años

La guerra de los Ochenta Años comenzó en 1568 y terminó en 1648. La guerra enfrentó a los Países Bajos y a España, ya que los holandeses querían independizarse de España.

Aunque la guerra se libró por la independencia, también se libró por la religión. Los holandeses eran protestantes, mientras que los españoles eran católicos. El pueblo de los Países Bajos y sus territorios en el Caribe no estaban contentos con el gobierno de los Habsburgo españoles y sus intentos de imponer el catolicismo. Los holandeses no se enfrentaron solos a los españoles, sino que recibieron ayuda de los ingleses y los hugonotes franceses.

A principios del siglo XVII, españoles y holandeses se enfrentaban a menudo en el Caribe. España seguía teniendo la parte del león en la región, mientras que los holandeses buscaban hacer incursiones allí para difundir el calvinismo e impulsar su ya floreciente economía.

Las guerras de religión debilitaron el control de España sobre el Caribe y dejaron a muchas naciones europeas en mal estado en el continente. Esto dio a Inglaterra y a los Países Bajos la oportunidad de desprenderse de las colonias españolas, empezando por San Cristóbal, Antigua, Nieves, Montserrat y Bermudas, entre otras.

Mientras tanto, los franceses consiguieron ganar en Guadalupe, Martinica y la parte occidental de La Española. Los holandeses ganaron en el sur del Caribe con la anexión de San Eustaquio y Curazao.

Al final de la guerra, España reconoció la independencia holandesa (aunque no todos los Países Bajos se separaron de España en ese momento).

La guerra de los Treinta Años

La guerra de los Treinta Años comenzó en 1618 y terminó junto con la guerra de los Ochenta Años en 1648. En la guerra de los Treinta Años participaron muchas naciones europeas, tanto católicas como protestantes. Hacia el final de la guerra, el conflicto se centró más en quién se haría cargo de la mayor parte de Europa (y de las reivindicaciones en el extranjero) y menos en las ideologías religiosas que habían contribuido a iniciar la guerra en primer lugar.

Fernando II se convirtió en emperador del Sacro Imperio Romano Germánico en 1619. Su primera acción fue imponer el catolicismo romano a su pueblo. Sin embargo, la libertad religiosa había sido concedida al pueblo de acuerdo con la Paz de Augsburgo, promulgada en 1555. Esto permitía a los príncipes de sus propios reinos adoptar el luteranismo o el catolicismo. Los ciudadanos del reino que no se ajustaban a la religión del Estado eran libres de marcharse.

El Sacro Imperio Romano Germánico tenía muchos estados semiautónomos. En ese momento, el imperio abarcaba toda la actual Alemania, Suiza y Bélgica. También reclamaba tierras en la mayor parte del norte de Italia y Austria, entre otras naciones actuales de Europa central.

Tras la promulgación de la Paz de Augsburgo, los reyes de Habsburgo que gobernaban Bohemia permitieron a sus súbditos protestantes practicar su propia religión en lugar de obligarlos a convertirse en católicos. Cuando Rodolfo II se convirtió en rey de Bohemia en 1575, concedió a los protestantes más derechos para practicar su fe.

Cuando Matías se hizo cargo de Bohemia en 1611, siguió concediendo más derechos religiosos a los protestantes, incluidos los que residían en sus otros territorios, como las actuales Austria y Hungría.

Fernando II, que se convirtió en rey de Bohemia en 1617, quería restaurar lo que creía que eran los «días de gloria» del imperio católico. Sus intereses en Bohemia residían sobre todo en los recursos que allí se encontraban.

Fernando II afirmó que cumpliría los decretos de Rodolfo, pero no lo hizo. Para empeorar las cosas para los protestantes, Fernando concedió más tierras a la Iglesia católica. En un principio, las tierras iban a ser utilizadas por los luteranos para construir dos nuevas iglesias.

Cuando los luteranos denunciaron la medida, muchos de ellos fueron arrestados por los subgobernadores. Creían que se había vulnerado su derecho a practicar su religión. Otros luteranos exigieron la liberación de los prisioneros, pero sus súplicas no surtieron efecto.

En respuesta, los líderes protestantes planearon una manifestación masiva en Praga el 23 de mayo de 1618. La manifestación acabaría convirtiéndose en lo que se conoce como la defenestración de Praga de 1618. Los protestantes acudieron al Castillo de Praga, donde se reunieron con cuatro señores regentes de la Iglesia católica.

Los protestantes interpelaron a los regentes, preguntándoles si estos eran responsables de la decisión de Fernando II de entregar las tierras a la Iglesia católica. Los regentes pidieron a los protestantes que les dieran tiempo para reunirse con su autoridad superior.

Esta respuesta no satisfizo a los protestantes, que buscaban una respuesta inmediata. Dos de los regentes fueron perdonados por los protestantes. Pero los otros dos admitieron haber desempeñado un papel en la persuasión de Fernando II para que entregara las tierras a la Iglesia católica.

Los dos y su secretario fueron arrojados por la ventana. A pesar de caer desde una altura de 18 metros, los tres sobrevivieron. La defenestración de Praga hizo que los Habsburgo católicos y los protestantes se prepararan para una guerra que, sin saberlo, duraría décadas.

Matías murió el 20 de marzo de 1619, y Fernando II le sucedió como emperador del Sacro Imperio Romano. Bohemia se negó a reconocer a Fernando como su rey, por lo que fue sustituido por Federico V, un protestante. Los nobles de Bohemia se alinearon con la Unión Protestante, formada por varios estados alemanes de mayoría protestante.

En 1635, Francia se unió a la guerra de los Treinta Años. A pesar de ser una nación católica, los franceses decidieron ponerse del lado de los protestantes para luchar contra su rival, los Habsburgo. Sus motivos eran más bien políticos que religiosos.

Cuando Fernando II murió en 1637, su hijo, Fernando III, asumió el cargo de emperador del Sacro Imperio Romano Germánico y emprendió una campaña contra Francia. Francia terminó en múltiples conflictos, luchando contra los protestantes de Francia, España y el Sacro Imperio Romano.

En la década de 1640, Portugal inició su propia revuelta contra España con la ayuda del Sacro Imperio Romano Germánico. Suecia reanudó su conflicto con los Habsburgo, que había tenido lugar años antes. Dinamarca-Noruega pronto se encontró luchando junto al Sacro Imperio Romano. Como se puede ver, Europa estaba en guerra consigo misma.

La Paz de Westfalia

La Paz de Westfalia se firmó en 1648, marcando el final de la guerra de los Ochenta Años y de la guerra de los Treinta Años. El tratado concedió la independencia a los Países Bajos y el control de sus reclamaciones en el Caribe, debilitando aún más el control de España sobre la región.

El tratado permitía a las respectivas naciones ser responsables de sus propias reclamaciones, supervisando las leyes, los impuestos y el control de la población. Esto significaba que, en el Caribe, la religión que predominaba en el estado autoritario era la religión de la tierra. Esto significaba que Curazao se adhería al protestantismo, mientras que las reclamaciones francesas, como Guadalupe, eran católicas.

Reflexiones finales

Las guerras de religión europeas se produjeron principalmente en el continente europeo, aunque los efectos de las batallas llegaron mucho más allá de sus costas. No cabe duda de que las batallas entre algunas de las naciones enfrentadas tuvieron lugar en el Caribe.

Las guerras de religión afectaron al modo en que las naciones europeas controlaban el Caribe. El dominio de España ya no sería tan fuerte como antes, y otras naciones europeas se aprovecharían de ello.

La libertad religiosa estaba en juego en Europa, lo que también suponía una amenaza para el Caribe. Pero la Paz de Westfalia se encargaría de que las potencias europeas establecieran su religión en sus propios dominios.

Capítulo 4 - Leyes coloniales en el Caribe

La esclavitud en el Caribe existió poco después de que los europeos la descubrieran y duró siglos. Muchas colonias europeas en el Caribe y en otros lugares dependían del comercio de esclavos. Aunque los españoles utilizaron inicialmente a los nativos como fuente de mano de obra esclava, con el tiempo se importaron muchos esclavos de África. Unos cinco millones de africanos fueron llevados al Caribe, donde trabajaban bajo los rigores del calor y fueron sometidos a duras condiciones. Las leyes promulgadas por las potencias europeas se utilizaron para cimentar su autoridad sobre los esclavos.

Las leyes esclavistas eran opresivas. En algunas colonias, los esclavos superaban en número a sus amos, lo que hacía temer a los europeos una rebelión.

Las leyes disuadían a cualquiera de levantarse y rebelarse. El castigo máximo era la ejecución. Sin embargo, llegaría el momento en que una rebelión de esclavos tendría éxito y conduciría a la independencia de una nación.

Código Negro: las leyes coloniales francesas sobre la esclavitud

En 1685, el rey Luis XIV emitió un decreto para regular la esclavitud en el Imperio francés. Esto se conocería como el Código Negro. Como parte del código, Francia obligó a sus esclavos a convertirse al catolicismo romano. Para fomentar su misión de propagar la fe católica, el *Code Noir* también obligó a expulsar a los judíos que residían en las zonas reclamadas por Francia.

El Código Negro tenía sesenta artículos. El código cubría todo, desde cómo vivían los esclavos hasta la religión que practicaban. También se describía cómo podían ser tratados los esclavos por sus amos y cómo debían ser castigados si infringían alguna ley.

No examinaremos todos los artículos del *Code Noir*, pero sí algunos de ellos. El artículo 9 establecía que los hijos de los esclavos casados eran también esclavos. Sin embargo, si la pareja casada tenía amos distintos, el niño pertenecería al amo de la mujer.

El artículo 13 dictaba que los hijos nacidos de padre esclavo y madre libre tendrán la misma «condición de libres» que su madre. Sin embargo, si el padre era libre y la madre era esclava, el niño sería un esclavo.

El código prohibía a los esclavos poseer armas. Los esclavos que violaban esta ley eran castigados con latigazos y, por supuesto, sus armas eran confiscadas. Los esclavos podían tener armas para cazar, aunque debían ser supervisados por sus amos.

Los esclavos no podían vender bienes, como la caña de azúcar, sin el permiso de sus amos. Cualquier venta ilegal de bienes suponía una multa para los compradores. Si un esclavo estaba enfermo, el amo debía pagar su atención mientras estuviera hospitalizado.

Según el artículo 33, si un esclavo era violento con su amo o con la familia, o con las amantes de este, el esclavo sería condenado a muerte. El artículo 34 establecía que a los esclavos fugitivos se les cortarían las orejas y se los marcaría si permanecían en fuga durante más de un mes después de que su amo denunciara su desaparición. Las siguientes violaciones del artículo darían lugar a un castigo más severo, incluyendo la muerte después de la tercera violación.

Los esclavos no podían casarse entre sí sin el permiso de sus amos. Los esclavos también tenían que dar su consentimiento. Los esclavos casados no podían separarse entre sí.

El Código Negro decretaba que los esclavos estaban sujetos a castigos más severos que los sirvientes domésticos. Los soldados del Imperio francés estaban sujetos a castigos menos severos por infringir las leyes. Así pues, al igual que en otras partes del Caribe y del mundo, los esclavos sufrían abusos y maltratos en virtud de este código.

A pesar de que el Código Negro prohibía a los amos maltratar, herir o matar a sus esclavos sin motivo alguno, se les concedía autoridad para disciplinarlos como considerasen oportuno. Los amos rara vez eran condenados por asesinar o torturar a sus esclavos.

Los amos tenían el poder de manumitir (liberar) a sus esclavos. A diferencia de otras leyes coloniales que trataban mal a los esclavos liberados, Francia concedía los mismos derechos y privilegios a los esclavos liberados que a los ciudadanos franceses. Por supuesto, los prejuicios seguían existiendo, pero a los esclavos liberados se les permitía tener sus propios negocios y elegir sus propias carreras. Incluso podían tener esclavos si lo deseaban. Los esclavos liberados no necesitaban cartas de naturalización para obtener la ciudadanía.

Hay que señalar que los esclavos liberados no podían disfrutar de una libertad total. Por ejemplo, a menudo era difícil formar una familia. Los hijos tenían el mismo estatus que su madre, así que si un esclavo liberado tenía un hijo con una mujer esclavizada, su hijo seguiría siendo un esclavo.

En 1660 se realizó el primer censo de la isla de Martinica. Había casi 5.300 personas que vivían en la isla; los blancos solo superaban a los esclavos negros en un centenar. En los veinte años siguientes, el número de esclavos que habitaban la isla creció hasta superar los catorce mil, mientras que la población blanca se quedaba muy atrás. En total, más de dos tercios de la población de Martinica en 1680 eran esclavos negros.

Como los esclavos superaban en número a los blancos, las rebeliones eran una amenaza habitual. Sin embargo, muchas rebeliones fueron frustradas, y los responsables fueron castigados con dureza e incluso ejecutados.

La rebelión de los esclavos haitianos y la independencia

Saint-Domingue era una colonia francesa del Caribe. Esto significaba que la Declaración de los Derechos del Hombre y del Ciudadano, que declaraba a todos los hombres franceses como libres e iguales, era aplicable a la colonia. Esta declaración no puso fin a la esclavitud, pero sus principios inspiraron en gran medida a los esclavos de Saint-Domingue a levantarse contra sus amos.

En esta época, la población africana del Caribe estaba creciendo hasta el punto de que pronto superaría en número a los blancos, si es que no lo hacía ya.

Los negros libres de Saint-Domingue buscaban la igualdad, así como los mismos derechos y estatus que los franceses. Vincent Ogé, un rico aristócrata conocido por su papel en el régimen borbónico, quería que los negros libres obtuvieran el derecho al voto, tal y como declaraba la Declaración de los Derechos del Hombre. Tras la negativa del gobernador de Saint-Domingue, Ogé orquestó una insurrección en 1790. La revuelta estaba formada por trescientos hombres libres de color, que pedían el mismo derecho de voto que los ricos propietarios de las plantaciones. Ogé sería capturado y ejecutado al año siguiente.

Los blancos y los negros libres se verían envueltos en conflictos mientras los esclavos negros observaban. Pero en 1791, los esclavos finalmente tuvieron su propia revuelta. Tras una ceremonia vuduista, los esclavos mataron a sus dueños, desencadenando una guerra civil.

Los esclavos lucharon contra sus opresores blancos. Los amos, sus familiares y amantes fueron obligados a abandonar sus camas; muchos fueron asesinados. Las plantaciones fueron incendiadas, incluyendo dos cerca de las principales ciudades de Jacmel y Léogâne.

Se infligieron más de dos millones de francos en daños materiales. Sin embargo, los blancos supervivientes formaron una milicia y contraatacaron, matando hasta quince mil esclavos rebeldes.

Los franceses abolieron la esclavitud en 1793. Los esclavos se habían anotado una gran victoria. Los negros que residían en las colonias francesas obtuvieron derechos políticos y civiles. Como la revolución no se centró en los derechos de las mujeres, el 14 de septiembre de 1791 se publicaría la Declaración de los Derechos de la Mujer y de la Ciudadana, obra de Olympe de Gouges. Aunque este documento no condujo a nada importante (aparte de su ejecución), sí inició el debate sobre cómo podrían ser los derechos de las mujeres.

Aunque los franceses habían abolido la esclavitud, las noticias viajaban lentamente. Toussaint Louverture, líder de la revolución haitiana, siguió luchando junto a los españoles. En 1794, se volvió contra España y luchó con los franceses al enterarse del decreto de emancipación de Francia.

Antiguo esclavo, Louverture se convirtió en gobernador general de Saint-Domingue (Haití) en 1797. Napoleón Bonaparte, que asumió el poder en 1799, se sintió amenazado por el ascenso de Louverture al poder y le prohibió invadir Santo Domingo, lo que habría colocado a este último en una posición más poderosa. Louverture ignoró a Napoleón y siguió adelante con el plan.

Louverture quería establecer su propia visión de la política en el Caribe. Capturó Santo Domingo (la República Dominicana) de manos de Don García, el gobernador de la época. Abolió la esclavitud y después tomó el control de La Española.

En 1801, los ciudadanos de Santo Domingo fueron notificados por Napoleón de que Francia crearía una constitución que incluiría leyes especiales para sus colonias. Louverture decidió formar una asamblea constitucional propia, compuesta por plantadores blancos.

Louverture no declaró que Saint-Domingue fuera un estado libre e independiente. Declaró que era una sola colonia que pertenecía al Imperio francés. Pero también declaró que quienes nacieran, vivieran y murieran en Saint-Domingue lo harían como súbditos franceses.

Napoleón envió a su cuñado, el general Charles Leclerc, a tomar La Española por medios diplomáticos en 1801. Louverture planeó quemar las ciudades costeras y las llanuras para dificultar el acceso de Leclerc y sus fuerzas a los suministros. También confió en la posible propagación de la fiebre amarilla para enfermar y finalmente matar a los hombres de Leclerc.

Louverture fue arrestado en 1802. Moriría mientras estaba encarcelado en Fort de Joux a la edad de sesenta años en 1803.

En 1802, Napoleón envió a 5.200 miembros de una legión polaca para rechazar a los prisioneros que se rebelaban. En ese momento, ocho mil hombres bajo el mando de Leclerc estaban listos para luchar, mientras que diez mil habían muerto de fiebre amarilla.

Los polacos se sorprendieron al descubrir que en realidad habían sido enviados a Saint-Domingue para luchar contra los esclavos rebeldes. Aunque los polacos luchaban con Francia para conseguir su independencia, muchos se sintieron tan conmovidos por la causa de los esclavos que se volvieron contra Napoleón y se pusieron del lado de los esclavos. Los polacos que lucharon junto a los esclavos obtuvieron la ciudadanía haitiana por sus esfuerzos una vez que el país se independizó.

En 1803, los franceses estaban perdiendo el control de la colonia y empezaron a centrarse en otros enemigos, como Prusia y Gran Bretaña.

Después de que las fuerzas francesas fueran derrotadas por los rebeldes haitianos, abandonaron La Española a finales de 1803. El comienzo de 1804 marcó el inicio oficial de Haití; el nombre se inspiró en Ayiti, su nombre indígena original. La revolución haitiana fue la única revuelta de esclavos de la historia que condujo a un estado independiente dirigido por no blancos. Haití fue también el primer país del hemisferio occidental que puso fin a la esclavitud.

Sin embargo, la Revolución haitiana fue sangrienta y violenta. Y esta violencia no terminó con la guerra. En 1804, los haitianos llevaron a cabo una masacre para matar a los colonos franceses que quedaban. Miles de personas fueron asesinadas.

Leyes esclavistas inglesas

El *Código Noir* se inspiró en las colonias inglesas, ya que Inglaterra ya había aprobado sus propios códigos antiesclavistas, como el Código de Esclavos de Barbados de 1661.

El Código de Esclavos de Barbados

El Parlamento de Barbados aprobó un código para los esclavos en 1661. Esto permitió a los amos tener plena autoridad sobre cómo podían controlar y tratar a sus esclavos sin preocuparse por las repercusiones legales. El Código de Esclavos de Barbados también se aplicaba a las demás colonias británicas del Caribe, incluida Jamaica e incluso algunas de las colonias de lo que sería Estados Unidos.

En un principio, el Código de Esclavos de Barbados fue diseñado para servir tanto a los esclavos como a sus amos. Sin embargo, estos planes fracasaron, ya que las protecciones no iban lo suficientemente lejos como para garantizar que los esclavos recibieran un trato humano.

Por ejemplo, el código establecía que los esclavos debían recibir una muda de ropa cada año. Pero el código no detallaba cuál debía ser la dieta de los esclavos ni si los propietarios debían proporcionarles una vivienda adecuada. El código favorecía ciertamente a los propietarios de esclavos. Según el Código de Esclavos de Barbados, los propietarios de esclavos tenían autoridad para castigar a sus esclavos si cometían infracciones. El código de esclavos también daba permiso a los propietarios para utilizar otros medios de daño corporal, como marcarlos, azotarlos, lacerarlos o incluso lisiarlos o asesinarlos. Algunos de los propietarios de esclavos incluso prendían fuego a sus esclavos como castigo severo.

Los propietarios de esclavos no se enfrentaban a ningún tipo de consecuencia legal por el trato que daban a los esclavos. El derecho consuetudinario inglés no otorgaba el derecho a un jurado o a un juez a los africanos libres o esclavizados.

En la década de 1780, el código sufrió reformas, lo que provocó un aumento de la población esclava. A pesar de las enmiendas, las condiciones de trabajo y de vida de los esclavos nunca mejoraron.

La esclavitud en las colonias holandesas

En 1644, los Países Bajos aprobaron un código legal sobre la esclavitud que se aplicaba a sus colonias, incluidas las del Caribe. Antes de su promulgación, los esclavos de las colonias holandesas eran bautizados por la Iglesia reformada holandesa.

La isla de Curazao servía como puerto de transferencia de esclavos, ya que la mayoría de ellos eran enviados a las colonias holandesas de Sudamérica. En 1789, la isla contaba con casi trece mil esclavos, lo que triplicaba el número de blancos en la isla.

En 1795, la isla fue testigo de un levantamiento de esclavos en el que participaron entre cuarenta y cincuenta esclavos. Abandonaron una plantación propiedad de Caspar Lodewijk van Uytrecht. Le dijeron a Van Uytrecht que ya no se consideraban esclavos. Van Uytrecht dijo a los esclavos que se dirigieran al vicegobernador de Curazao.

Un esclavo llamado Tula encabezó la rebelión y condujo a los esclavos a Lagún, donde liberaron a algunos prisioneros. Los esclavos siguieron viajando, liberando gente a su paso.

Van Uytrecht encargó a su hijo que enviara un mensaje al gobernador de Curazao sobre la revuelta de los esclavos. La marina y el ejército holandeses fueron enviados para enfrentarse a Tula y a los rebeldes.

Sin embargo, el ejército holandés fue derrotado. Tula y quienes lo seguían eran sin duda una fuerza a tener en cuenta. Tula planteó exigencias al gobierno: Domingos libres, plena libertad para comprar ropa y otros artículos, y el fin de los castigos colectivos. Aunque sus demandas eran bastante indulgentes, los europeos no querían dar ninguna libertad a los esclavos. Los rebeldes fueron derrotados después de que el barón Westerholt, que había intentado previamente varias negociaciones con los rebeldes, ordenara disparar a cualquier esclavo que tuviera armas.

Se produjo una escaramuza que se saldó con nueve muertes de rebeldes y doce detenciones. Los que escaparon empezaron a hacer guerra de guerrillas contra los holandeses. Tula fue capturado y torturado hasta la muerte el 3 de octubre de 1795. Se lo recuerda como un héroe nacional en Curazao por liderar la revuelta.

El gobierno colonial no quería otra revuelta, así que concedió a los esclavizados algunos derechos, aunque no se especifica cuáles eran.

Casi cien años después, en 1863, Curazao abolió la esclavitud al mismo tiempo que Holanda. En ese momento, cerca de 5.500 esclavos residían en la isla.

Chozas de esclavos en una colonia holandesa

Reflexiones finales

Las leyes sobre la esclavitud de las colonias caribeñas despejaron el camino para que los propietarios de esclavos los maltrataran. Muchos esclavos sufrieron una brutalidad sin precedentes y también padecieron diversas enfermedades, muriendo muchos de ellos. Los franceses fueron los primeros en abolir la esclavitud en el Caribe, aunque fue restablecida por Napoleón en 1802, por lo que su abolición fue efímera.

No olvidemos quiénes fueron los primeros en abolir la esclavitud en el hemisferio occidental. Haití abolió la institución de la esclavitud y se convirtió en la segunda nación independiente de América, siendo Estados Unidos la primera. Haití sería testigo de muchos años de conflicto durante el resto de los siglos XIX y XX.

Las leyes coloniales sobre la esclavitud en el Caribe inspiraron muchas rebeliones, ya que los esclavos estaban cansados de sufrir torturas inhumanas y violencia a manos de los propietarios de esclavos.

Capítulo 5 - Revoluciones en el Caribe

El Caribe había sido durante mucho tiempo el telón de fondo de muchos conflictos violentos. Las guerras que habían estallado en el continente europeo acabarían llegando a las costas caribeñas. Las potencias europeas se volvían incluso contra los piratas que les habían ayudado contra los países contra los que guerreaban.

El siglo XVIII fue testigo de dos de las revoluciones más notables de la historia mundial: la estadounidense y la francesa. La región del Caribe sirvió de escenario para estas guerras revolucionarias.

Desde la década de 1770 hasta la de 1790, los asentamientos caribeños desempeñaron papeles vitales en las revoluciones que crearon nuevas naciones. En este capítulo se tratarán los acontecimientos de las revoluciones estadounidense y francesa, así como los hechos notables que ocurrieron en el Caribe durante ambas guerras.

La Revolución estadounidense

A mediados del siglo XVII, los colonos de la América británica ya tenían una forma de autonomía, ya que cada una de las Trece Colonias estaba gobernada por su propia legislatura. Sin embargo, el pueblo seguía estando en deuda con las leyes aprobadas por el Parlamento británico.

Los colonos americanos no tenían representación directa en el Parlamento, por lo que los ciudadanos no tenían a nadie que defendiera sus derechos y su descontento con las leyes. Algunas personas en Gran Bretaña, incluidos los miembros del Parlamento, simpatizaban con los colonos, pero muchos no entendían por qué los colonos no querían formar parte de la madre patria. Los británicos habían invertido tiempo y dinero en las colonias, por lo que creían que debían tener la última palabra sobre lo que ocurría en las colonias americanas.

Los británicos también querían cosechar los beneficios de la próspera economía americana. Después de luchar en tantas guerras en Europa, Gran Bretaña necesitaba reponer sus arcas, sobre todo porque parecía que se avecinaban más guerras. Los británicos habían enviado hombres para ayudar a los colonos en la guerra franco-india. A sus ojos, habían defendido el territorio con sus hombres y su dinero, por lo que merecían ser retribuidos. Esto condujo a la Ley del Timbre de 1765. Esta ley pretendía gravar muchos artículos impresos que se creaban en las colonias, incluidos los periódicos y los documentos oficiales.

La Ley del Timbre fue derogada aproximadamente un año después. El enfado de los colonos americanos jugó un papel importante en su atractivo; la Ley del Timbre dio lugar a la famosa frase «No hay tributación sin representación», y mucha gente boicoteó los productos. Sin embargo, la paz no duraría mucho, ya que en 1767 se aprobarían las Leyes Townshend. Con el aumento de las tensiones en grandes ciudades como Boston, se desplegaron soldados británicos para calmar los ánimos.

En 1770 se produjo la masacre de Boston. Cinco colonos fueron asesinados, exacerbando las tensiones entre británicos y estadounidenses. Al mismo tiempo, se derogaron muchos de los impuestos de las Leyes Townshend. Sin embargo, se mantuvo el impuesto sobre el té, lo que enfureció aún más a los colonos. Y la Ley del Té de 1773, que debía ayudar a reducir el contrabando y sacar de apuros a la Compañía Británica de las Indias Orientales, desencadenó el Motín del té de Boston. Los colonos arrojaron al puerto de Boston té por valor de casi diez mil libras (dos millones de dólares actuales).

Como resultado, Gran Bretaña aprobó las leyes intolerables, que cerraron el puerto de Boston hasta que los colonos devolvieran el té y pusieron a Massachusetts bajo el control de los británicos, entre otras cosas. Las leyes intolerables eran, bueno, intolerables, y al año siguiente, 1774, doce colonias (con la excepción de Georgia) respondieron formando el Congreso Continental.

Por supuesto, no todos los colonos querían la independencia. Gran Bretaña les proporcionaba seguridad, y muchos tenían un sentimiento de lealtad a la patria. Los leales o tories se enfrentaban a los vociferantes patriotas, que se oponían al dominio británico hasta el punto de estar dispuestos a ir a la guerra por la independencia.

Se formaron milicias ciudadanas para enfrentarse a las fuerzas británicas, y los combates comenzaron en Lexington y Concord el 19 de abril de 1775. Poco después se formó el Ejército Continental, dirigido por George Washington.

En el transcurso del año se produjeron varias batallas. Por ejemplo, en el asedio de Boston los estadounidenses recuperaron la ciudad. El 4 de julio de 1776, el Congreso Continental declaró a América como nación independiente y adoptó la Declaración de Independencia. La Declaración de Independencia rechazaba la monarquía y la sustituía por una república que promovía la libertad.

A lo largo de los años, los recién formados Estados Unidos se enfrentarían a la gran fuerza militar de Gran Bretaña en muchas batallas. Si bien los estadounidenses fueron derrotados al principio, ganaron fuerza y empezaron a cambiar las cosas. Su punto de inflexión fue la victoria contra los británicos en la batalla de Saratoga en 1777.

Debido a su victoria, Francia se convirtió en aliada de Estados Unidos, proporcionando suministros y recursos humanos. La guerra por la independencia acabó por consolidar el estatus de la república como nación independiente. Los ideales por los que lucharon los estadounidenses se extendieron a Francia, lo que dio lugar a la Revolución francesa. Pero antes de ir a Francia, veamos cómo el Caribe se vio afectado por la revolución en América.

La Revolución estadounidense en el Caribe

En esta época, Gran Bretaña tenía una treintena de colonias en América. Sin embargo, los británicos consideraban a Jamaica su joya de la corona, ya que era una de las colonias más ricas debido al comercio del azúcar. Además de Jamaica, Gran Bretaña también tenía Barbados, Dominica, San Vicente, Tobago y las islas de Sotavento.

Las Bermudas eran otra colonia británica en la costa de América. Fue la única colonia fuera del continente que envió representantes al Congreso Continental, aunque Bermuda no buscaba ser incluida en los Estados Unidos. Los delegados solicitaron una exención de la prohibición comercial que los estadounidenses planeaban promulgar.

Aunque los representantes de las colonias caribeñas no asistieron, las colonias caribeñas británicas desempeñarían un papel esencial en la Revolución estadounidense. Las colonias británicas se utilizaron como canales de envío de suministros militares para la armada y los soldados sobre el terreno.

Mientras tanto, los franceses y holandeses se alinearon con el Ejército Continental. Utilizaron sus colonias insulares para ayudar a los estadounidenses proporcionándoles suministros militares. Los corsarios coloniales intentaron socavar la economía británica destruyendo los barcos que se encontraban en las cercanías.

Aunque la mayoría de los conflictos se produjeron en tierra y en los mares del norte del Caribe, algunos conflictos revolucionarios ocurrieron cerca de las islas. El primer conflicto ocurrió en 1776 cuando los corsarios atacaron Las Bahamas. En 1777, los corsarios pusieron sus miras en Tobago y sitiaron la colonia insular en dos ocasiones distintas.

La nación insular de Santa Cruz, entonces reclamada por los daneses, confirmó su alianza con los estadounidenses saludando su bandera. Fort Orange, en la isla de San Eustaquio, vio pasar un barco estadounidense y confirmó su alianza haciendo lo mismo en la segunda mitad de 1777.

El general William Howe, uno de los principales comandantes del ejército británico, confió en las colonias de Jamaica y Barbados para que le proporcionaran tropas y suministros. Sin embargo, sus peticiones apenas fueron atendidas. Las tropas de Jamaica estaban atadas de manos debido a un conflicto separado, ya que varios esclavos se rebelaron. Barbados solo pudo enviar alimentos a Howe y sus tropas, a pesar de que la colonia sufría una hambruna generalizada.

Las islas de Sotavento dependían de los alimentos que se importaban de la América británica. La importación de alimentos se vio interrumpida por la guerra hasta el punto de que una quinta parte de la población esclava de Antigua había muerto de hambre.

Mientras tanto, los corsarios estadounidenses se refugiaban en islas reclamadas por Francia y Holanda. Su función consistía en encontrar suministros y enviarlos al Ejército Continental.

En 1779, España se unió a la guerra de la Independencia ayudando a los colonos estadounidenses con dinero y suministros. A estas alturas, la armada británica ya no daba abasto. Además de defender sus intereses en América y el Caribe, la marina que les quedaba hacía lo mismo en partes de Asia y el Mediterráneo.

En 1781, los británicos se rindieron en Yorktown, Virginia, lo que marcó el fin de la mayor parte de los combates. La Revolución estadounidense terminaría oficialmente en 1783 con el Tratado de París. Los británicos cederían a Estados Unidos el control de sus colonias al este del río Misisipi y al sur de los Grandes Lagos.

Las colonias británicas en el Caribe y Canadá eran las únicas reivindicaciones que le quedaban a Gran Bretaña en América.

La Revolución francesa

En Francia faltaba la igualdad social y económica, y el pueblo no estaba contento. La población había crecido y había problemas financieros por ayudar a Estados Unidos en su revolución. Además, los problemas agrícolas y los elevados precios de los alimentos exacerbaban las tensiones entre el francés medio y los increíblemente ricos.

En 1789, los Estados Generales fueron convocados a reunirse por primera vez en casi dos siglos. Los delegados de la asamblea eran los encargados de enumerar las quejas que se presentarían al rey. Cuando estaba a punto de reunirse, se produjo un debate sobre el proceso de votación. Como resultado, el Tercer Estado, el grupo más numeroso, que representaba a los plebeyos, decidió reunirse por separado y crear la Asamblea Nacional.

El Tercer Estado pretendía reunirse en su lugar habitual de reunión en Versalles. Sin embargo, sus miembros se quedaron fuera. Se supuso que el rey quería que el grupo se disolviera, pero no se dejaron disuadir. En su lugar, se reunieron en una pista de tenis cubierta.

Allí, el Tercer Estado hizo un juramento. Prometieron no separarse hasta que se redactara y estableciera una constitución. En agosto de 1789, crearon lo que se conoce como la Declaración de los Derechos del Hombre y del Ciudadano, que pretendía proporcionar libertad individual y democracia a Francia.

El 11 de julio, el rey Luis XVI destituyó a su ministro de Finanzas, Jacques Necker, que apoyaba al Tercer Estado. La noticia enfureció a los ciudadanos parisinos. También temían un ataque del ejército real o de otros mercenarios que trabajaban para el rey.

El 14 de julio de 1789, los insurgentes franceses asaltaron una fortaleza llamada la Bastilla para hacerse con armas, marcando el inicio de la Revolución francesa. Esto llevaría a la eventual deposición y ejecución del rey Luis XVI, que fue arrestado en agosto de 1792. Su esposa, María Antonieta, fue ejecutada en octubre de 1793.

El auge de los principios democráticos conducirá a la abolición de la monarquía y a la posterior instauración de la Primera República francesa. También conduciría a una época sangrienta de la historia conocida como el «Terror» y al ascenso de Napoleón Bonaparte, un dictador militar que hizo retroceder muchos de los principios democráticos que se habían conseguido.

Los efectos de la Revolución francesa en el Caribe

Los plantadores de Martinica sintieron los efectos de la Revolución francesa hasta el punto de tener que trasladarse a Trinidad con sus esclavos ya en 1789. Siguieron cultivando azúcar y cacao.

En abril de 1792, la Asamblea Legislativa extendió la ciudadanía francesa a los hombres de color libres. Donatien-Marie-Joseph de Vimeur, vizconde de Rochambeau, fue enviado a Martinica para aplicar la ley. La Asamblea Constituyente de la isla aceptó promulgarla.

Sin embargo, Martinica quedó bajo la autoridad de Gran Bretaña en 1793 tras la firma de un acuerdo en Londres. Se trataba de un acuerdo temporal hasta el restablecimiento de la monarquía en Francia, ya que los británicos temían que el fervor revolucionario se extendiera a sus colonias caribeñas. Este acuerdo también otorgaba a los colonos franceses el derecho a seguir esclavizando personas.

Cuando Francia abolió la esclavitud en 1794, Gran Bretaña intervino. Invadió la isla para evitar que se aplicara el decreto.

Las islas de Martinica y Guadalupe serían devueltas a Francia en 1802, solo para que los británicos volvieran a tomarlas en 1809. Fueron devueltas a los franceses en 1814.

Las guerras napoleónicas en el Caribe

Las guerras napoleónicas duraron de 1803 a 1815 y se libraron en gran parte de Europa y en el extranjero. Una de las campañas fue la de las Indias Occidentales, que comenzó en 1803. Para entonces, Francia ya había perdido colonias en América, incluidas Haití y Luisiana a través de la compra de Luisiana. Sin embargo, mantuvieron las colonias de Martinica y Guadalupe.

En 1795, los franceses consiguieron obligar a España a cederles el control de Santo Domingo de acuerdo con el Tratado de Basilea.

En 1804, los británicos se habían establecido en la roca del Diamante, una isla deshabitada cerca de Martinica. Los franceses planeaban lanzar un asalto nocturno a la roca. Las condiciones del mar impidieron a la marina francesa atacar, y los franceses volvieron a Martinica con las manos vacías. Pero la batalla por la roca aún no había terminado. Los franceses y los británicos intercambiaron disparos el 14 de mayo de 1805.

Los franceses contaron con la ayuda de los españoles en su lucha contra los británicos. El 31 de mayo, los franceses lanzaron un ataque final. Estaba claro que los británicos no podrían sostener el asalto y se rindieron el 2 de junio.

La siguiente gran batalla en el Caribe tendría lugar el 6 de febrero de 1806, con la batalla de Santo Domingo. Los británicos lucharon contra los franceses en las aguas cercanas a la colonia. La

Marina Real Británica era una fuerza formidable, y los franceses sufrieron más de 1,500 bajas. Más de mil hombres fueron capturados.

Quizás las dos mayores batallas en el Caribe durante las guerras napoleónicas fueron las invasiones de Martinica en 1809 y Guadalupe en 1810.

La invasión de Martinica comenzó cuando el vicealmirante sir Alexander Cochrane y el teniente general George Beckwith dirigieron una gran fuerza expedicionaria de diez mil hombres y veintinueve barcos a Martinica. Gran Bretaña veía la ocupación francesa de Martinica como una amenaza para sus perspectivas comerciales en el Caribe.

Los británicos desembarcaron en las costas del sur y del norte, y derrotaron a las fuerzas francesas estacionadas allí. Controlaron oficialmente la isla el 24 de febrero de 1809. Los franceses intentaron enviar refuerzos para recuperar la isla, pero fueron interceptados por los británicos en abril de 1809.

Con Martinica en manos de los británicos, su siguiente objetivo fue Guadalupe. Beckwith y Cochrane reunieron sus fuerzas y partieron de Dominica el 27 de enero de 1810. Los británicos enviaron mensajes a los franceses que ocupaban la isla, diciéndoles que se rindieran.

Al recibir el mensaje, el general Jean Augustin Ernouf y las tropas que le quedaban decidieron quedarse y vigilar la isla. Sin embargo, las fuerzas británicas arrollaron a Ernouf y a los franceses, gracias a la ayuda de los refuerzos británicos dirigidos por el general Charles Wale.

Las guerras napoleónicas terminarían el 20 de noviembre de 1815, meses después de la derrota de Napoleón en Waterloo.

Reflexiones finales

El Caribe fue escenario de guerras durante muchos años. Fue testigo de los efectos de tres guerras revolucionarias y de una guerra continental. Estas guerras cambiaron el panorama político europeo.

Francia recuperó las islas de Martinica y Guadalupe tras las guerras napoleónicas. Ambas se consideran hoy en día departamentos de ultramar de Francia.

Capítulo 6 - El Caribe en el siglo XIX: La guerra por la independencia de Cuba y la guerra hispano-estadounidense

Con las revoluciones estadounidense y francesa en el espejo retrovisor, el Caribe seguía bajo el control de las potencias europeas. Napoleón fue derrocado, pero surgió otra potencia en la región. Los Estados Unidos de América pronto se establecerían como una nación con intereses más allá de sus fronteras.

Este capítulo abarcará los acontecimientos del Caribe desde principios del siglo XIX hasta el comienzo de la guerra hispano-estadounidense, que se libró a finales de siglo. La guerra hispano-estadounidense sería el último intento de España por conservar lo que le quedaba en la región, incluidas las tierras que había mantenido durante tres siglos.

Haití declararía su independencia. En los años siguientes, otras naciones, como la República Dominicana y Cuba, se unirían a la contienda.

La Doctrina Monroe

El 2 de diciembre de 1823, el presidente estadounidense James Monroe promulgó la Doctrina Monroe, que perfilaba la política exterior de Estados Unidos. Monroe creó cuatro pilares que determinarían la intención del país sobre cómo tratar los asuntos exteriores.

Monroe creía que tanto el Viejo como el Nuevo Mundo eran diferentes en cuanto a los sistemas con los que operaban y que debía seguir siendo así. La Doctrina Monroe incluía los siguientes puntos:

- Estados Unidos no se involucraría en las guerras entre las potencias europeas. También se mantendría al margen de los asuntos internos de Europa.

- Todas las colonias existentes reclamadas por las naciones europeas serían reconocidas por Estados Unidos. No tendrían ningún tipo de interferencia por parte de Estados Unidos.

- No habría más colonización en el hemisferio occidental.

- Controlar u oprimir a una nación situada en el hemisferio occidental se consideraría un acto de hostilidad contra Estados Unidos.

En esta época, algunas naciones europeas tenían intereses territoriales en Estados Unidos, como Rusia, cuyo objetivo era la costa noroeste de Estados Unidos, como partes de los actuales estados de Oregón y Washington. La Doctrina Monroe pretendía acabar con esas ambiciones territoriales.

Los británicos deseaban crear una declaración conjunta con Estados Unidos para seguir impidiendo la colonización en América. Sin embargo, Estados Unidos no estaba interesado. La Doctrina Monroe cayó en saco roto fuera de Estados Unidos (excepto para Gran Bretaña) debido a que Estados Unidos no tenía planes de colonización.

Gran Bretaña debió de cansarse de ser la única nación que defendía la doctrina. Diez años después de la publicación de la Doctrina Monroe, Gran Bretaña ocupó las Islas Malvinas frente a la costa de Argentina. Estados Unidos no invocó la Doctrina Monroe en ese momento, ni expresó su oposición a la ocupación.

Durante el mandato de James K. Polk como presidente, este dejó claro que no se permitía a Gran Bretaña ni a España establecer colonias en el continente americano ni en la península de Yucatán (México). En otras palabras, la expansión territorial de los europeos estaba descartada. Era un territorio reclamado por Estados Unidos. La Doctrina Monroe no afectó a las colonias británicas del Caribe, puesto que ya estaban reconocidas como naciones soberanas.

Con la fuerte presencia británica en el Caribe, preocupaba la intención de Estados Unidos de utilizar el Caribe como zona estratégica para sus intereses militares y económicos. En Estados Unidos, muchos empresarios del norte y propietarios de esclavos del sur estaban de acuerdo en que la expansión estadounidense era vital. Sin embargo, existía una preocupación respecto a la esclavitud.

Algunos se oponían a la idea de la expansión, criticándola como una oportunidad para expandir la esclavitud en Estados Unidos. La idea del filibusterismo estaba sobre la mesa. El filibusterismo se define como la toma de tierras de entidades extranjeras a través de fuerzas militares sin ninguna aprobación previa del gobierno de Estados Unidos.

Los propietarios de esclavos esperaban que Cuba, México y otras partes del Caribe fueran tomadas con éxito para poder adquirir más esclavos para trabajar las tierras. Sin embargo, se temía que una revolución en Cuba tuviera lugar de la misma manera que en Haití.

A pesar de los intentos de Estados Unidos por comprar Cuba, la anexión del país caribeño, situado a casi noventa millas de la costa del sur de Florida, nunca se produjo.

La guerra civil estadounidense y el papel del Caribe

La guerra civil estadounidense comenzó en 1861 y terminó en 1865. Enfrentó a la Unión con la Confederación, y ambos bandos lucharon por la esclavitud y otras cuestiones ideológicas y económicas.

En ese momento, Bahamas estaba bajo la autoridad británica, pero se involucró en la guerra civil estadounidense. Los corredores de bloqueo que habían prometido lealtad a los confederados se refugiaron en Las Bahamas durante la guerra.

Los corredores de bloqueos tuvieron que enfrentarse a grandes retos durante la guerra, como la falta de puertos en Florida, que estaba bastante cerca de Nassau. Dado que Florida no era accesible, los corredores de bloqueo navegaron hacia el mayor puerto confederado: Charleston, Carolina del Sur. Hacían viajes regulares de Nassau a Charleston, defendiéndose de cualquier fuerza de la Unión en el mar mientras importaban algodón a las islas del Caribe. Mientras los corredores de bloqueo estuvieron activos, la población de la isla de Gran Bahama se duplicó.

Nassau se convirtió en un importante puerto comercial para la Confederación. El algodón que se traía de Charleston se trasladaba a las fábricas de algodón propiedad de Gran Bretaña. Los británicos reconocieron que los Estados Confederados de América estaban en guerra con la Unión, pero no los reconocieron como nación soberana. En lugar de reconocer un bando, Gran Bretaña mantuvo su neutralidad, pero el público tenía ciertamente sus propias opiniones. Muchos británicos de clase alta apoyaban a los confederados, mientras que las clases medias y bajas tenían una opinión favorable de la Unión.

En 1861, el presidente confederado Jefferson Davis nombró a dos comisionados en un esfuerzo por generar interés extranjero, concretamente de Gran Bretaña y Francia. John Slidell y James Mason hicieron el viaje a Cuba, donde esperaron la llegada del RMS *Trent*, un barco correo británico.

Durante este tiempo, el capitán Charles Wilkes, del USS *San Jacinto*, se enteró de que la parcja planeaba viajar en el *Trent*. El *San Jacinto* interceptó al *Trent* y los dos hombres confederados fueron capturados. Nadie resultó herido y la Unión creyó que había actuado correctamente. Detener un barco neutral en tiempos de guerra no se consideraba un acto de violencia contra el país de origen del barco. Pero los británicos no lo vieron de la misma manera. Debido a la agresión, Gran Bretaña envió tropas a Canadá y amenazó con un bloqueo cerca de la ciudad de Nueva York si estallaba un conflicto armado entre la Unión y Gran Bretaña.

Gran Bretaña no tardaría en imponer un embargo sobre el salitre, que era uno de los principales ingredientes de la pólvora. En ese momento, el Imperio británico controlaba más del 90 por ciento de su suministro. El presidente Lincoln respondió haciendo que Slidell y Mason fueran liberados de la prisión y envió una disculpa poco entusiasta a los británicos, que estos aceptaron.

La guerra de independencia de Cuba y la guerra hispano-estadounidense

La nación insular de Cuba quería obtener su independencia. Su primer intento fue en 1868, cuando los rebeldes cubanos entraron en guerra con España en lo que se conocería como la guerra de los Diez Años. En ese momento, Cuba y Puerto Rico eran las dos últimas colonias españolas en el Caribe.

Cuando se abolió la esclavitud en Cuba en 1886, los cambios no se hicieron esperar. Los ingenios azucareros disminuyeron en número, y solo los terratenientes más poderosos pudieron mantenerse en el negocio.

En esta época, el escritor y activista político José Martí residía en Estados Unidos tras ser deportado a España por segunda vez. Planeó un movimiento revolucionario con exiliados cubanos para luchar por la independencia de Cuba.

Estados Unidos quería anexionar Cuba por sus propios intereses, pero Martí se oponía a los esfuerzos de anexión. El día de Navidad de 1894, tres barcos revolucionarios cubanos partieron de Florida hacia Cuba. Dos de ellos fueron confiscados por el gobierno de Estados Unidos, pero los revolucionarios cubanos siguieron adelante con su plan.

En marzo de 1895, Martí publicó el Manifiesto de Montecristi. Este fue el proyecto de la guerra de independencia de Cuba. Algunos de los principios esbozados en el manifiesto afirmaban que tanto los blancos como los negros debían participar para ganar la guerra. Los revolucionarios debían prescindir de los colonos españoles que no se opusieran a su causa.

Martí y los revolucionarios querían llevar la prosperidad económica a una Cuba independiente. El 24 de febrero de 1895 comenzó la violencia y se produjeron levantamientos en las principales ciudades cubanas. Los cubanos contaban con cerca de cincuenta y cuatro mil efectivos, pero España disponía de casi cuatro veces más.

Los rebeldes (conocidos como mambises) se enfrentaron a varios retos además de su desventaja numérica. Por ejemplo, solo tenían un pequeño número de armas. Esto se debía a la prohibición de las armas tras el fin de la guerra de los Diez Años. Para mitigar esto, los rebeldes capturaron municiones y armas de los militares españoles durante las incursiones.

Los mambises utilizaron las tácticas de la guerra de guerrillas y el elemento sorpresa en su beneficio. Montaban a caballo y utilizaban machetes en sus batallas con los soldados españoles. Los rebeldes sufrieron una gran pérdida cuando Martí fue asesinado el 19 de mayo de 1895, durante la batalla de Dos Ríos.

Los rebeldes pronto se enfrentaron a las fuerzas dirigidas por el general español Arsenio Martínez-Campos y Antón, conocido por sus esfuerzos en la guerra de los Diez Años. Fue gobernador de Cuba antes de ser sustituido por el general Valeriano Weyler en 1896 por negarse a aplicar tácticas más duras contra los cubanos.

Weyler no perdió el tiempo con su plan de represalias por las pérdidas españolas. A diferencia de su predecesor, no temía ensangrentar sus manos. Puso en marcha una política de reconcentración diseñada para encarcelar a los cubanos en campos de concentración. Ordenó a los ciudadanos de los pueblos rurales que se trasladaran a los campos situados en las ciudades fortificadas cercanas o se enfrentaran a la ejecución.

En los dos años siguientes, un tercio de la población cubana fue confinada en estos campos. Lamentablemente, entre 150.000 y 400.000 personas murieron de hambre y enfermedades. Debido a las innumerables personas que sufrieron, Weyler recibió el apodo de «el Carnicero» por parte de los periódicos estadounidenses.

Hacia finales de la década de 1890, España tenía las manos atadas en sus esfuerzos por retener otras colonias en el extranjero, incluidas las Filipinas.

En enero de 1898, los cubanos leales a España iniciaron un motín en La Habana. Estados Unidos envió el USS *Maine* a la capital cubana para proteger a los estadounidenses que vivían allí. El 15 de febrero de 1898, el *Maine* explotó, matando a 260 personas a bordo.

En aquel entonces, los periódicos corrieron con la historia de que el *Maine* había explotado a causa de una mina, pero parece más probable que algo sucediera dentro del barco. La mayoría de los investigadores creen que las reservas de munición se incendiaron. No obstante, el incidente desencadenó la guerra hispano-estadounidense, que comenzó a finales de abril de 1898. Estados Unidos invadió Cuba, Filipinas, Guam y Puerto Rico.

La primera fuerza estadounidense llegó a Cuba el 10 de junio de 1898. Dos semanas más tarde, el Quinto Cuerpo de Ejército desembarcó en zonas al este de Santiago.

El 25 de julio, Estados Unidos tocó tierra en Puerto Rico con unos 1.300 soldados bajo el mando de Nelson A. Miles. Esto condujo a la batalla de Yauco y posteriormente a la batalla de Fajardo. La batalla final en Puerto Rico tuvo lugar cerca del Cerro Gervasio del Asomante, tras la cual se firmó un armisticio entre Estados Unidos y España.

El control de España se debilitó y solicitó la paz meses después de que comenzara la guerra hispano-estadounidense. El 12 de agosto, España y Estados Unidos firmaron un acuerdo de paz que incluía la entrega de Cuba y Puerto Rico. En diciembre se firmó el Tratado de París, en el que España reconocía oficialmente a Cuba como nación independiente.

La emoción de las tropas al escuchar que Santiago se había rendido

Puerto Rico fue anexionado por Estados Unidos como territorio, y las fuerzas estadounidenses continuaron ocupando Cuba. Aunque EE. UU. no ocupó Cuba de forma permanente, se aseguró de que las nuevas políticas legislativas de Cuba favorecieran a EE. UU.

Sin embargo, una de sus instalaciones militares seguía en pie: La Base Naval de la Bahía de Guantánamo, que fue creada como parte de un acuerdo de arrendamiento de 1903.

Reflexiones finales

La presencia de España en el Caribe dejó de existir después de la guerra hispano-estadounidense, aunque su influencia aún puede sentirse en la cultura y el idioma de los países que ocupó.

Cuba se convirtió en una nación independiente, pero pronto se vería en la vanguardia de la política mundial menos de medio siglo después. En cuanto al Caribe, Estados Unidos se hizo con Puerto Rico, que sigue siendo un territorio estadounidense hasta el día de hoy (junto con las Islas Vírgenes de Estados Unidos, pero más adelante se hablará de ello).

La Doctrina Monroe sirvió de modelo para evitar que las potencias europeas siguieran colonizando el hemisferio occidental. Sin embargo, a principios del siglo XX se promulgaría una nueva política exterior.

Capítulo 7 - Principios del siglo XX en el Caribe

La guerra hispano-estadounidense terminó con la rendición por parte de España de sus últimas colonias en el Caribe. Cuba se convirtió en una nación independiente, mientras que Estados Unidos obtuvo el control territorial de Puerto Rico. A principios del siglo XX, el presidente Theodore Roosevelt estableció su propia política exterior centrada en el Caribe y América Latina.

La región del Caribe comenzó a ver por fin la paz. Tras siglos de conflictos intermitentes, las islas del Caribe se estaban acostumbrando al statu quo de estar bajo la jurisdicción de su nación europea. Gran Bretaña reclamaba la mayor parte de la región, mientras que algunas de las otras islas estaban bajo control francés y holandés.

A principios del siglo XX, muchas de las islas del Caribe tenían sus propios servicios básicos en funcionamiento. Por ejemplo, muchas de las islas ocupadas por los británicos tenían hospitales, bomberos, policías y escuelas. La esclavitud ya no existía, pero los negros del Caribe seguían buscando obtener los mismos derechos que sus homólogos blancos.

En cualquier caso, la estabilidad política era más fuerte que nunca, y la calidad de vida aumentó, lo que se tradujo en beneficios económicos. Al ver la prosperidad de la región, Estados Unidos trató de establecer sus propios intereses económicos en la zona tropical. El Caribe pronto se convertiría en uno de los lugares más deseados para viajar.

A pesar de los avances económicos, una industria empezó a decaer. El azúcar, que en su día se consideraba un importante cultivo comercial, estaba tocando fondo.

A medida que avanzaba el siglo XX, los ciudadanos caribeños bajo el dominio del Reino Unido se verían envueltos en una guerra lejana llamada Primera Guerra Mundial.

El corolario de Roosevelt

Cuando Theodore Roosevelt asumió la presidencia de Estados Unidos tras el asesinato de su predecesor, William McKinley, uno de sus puntos centrales fue la política exterior. En concreto, le preocupaba que las potencias europeas tuvieran la intención de invadir las naciones latinoamericanas, que se enfrentaban a problemas con las deudas. Roosevelt consideró que la Doctrina Monroe era demasiado pasiva para la política exterior estadounidense y quiso actualizarla.

Durante el primer mandato de Roosevelt, Europa amenazó repetidamente con invadir América Latina para saldar deudas con países que tenían gobiernos débiles. En 1902, Gran Bretaña, Alemania e Italia establecieron bloqueos. Estados Unidos respondió utilizando su armada, con la intención de desempeñar el papel de mediador.

Sin embargo, lo mismo ocurriría en el Caribe. La República Dominicana, que se independizó de Haití en 1844, se enfrentó a la amenaza de invasión por el impago de sus deudas. Ulises Heureaux, presidente de la República Dominicana de 1882 a 1899 (con algunos años de intervalo entre mandatos), endeudó al país tras involucrarse en planes financieros con naciones europeas mientras se embolsaba dinero para sí mismo.

Tras el asesinato de Heureaux, la República Dominicana no pudo pagar sus deudas a Francia y Gran Bretaña. Como resultado, los buques de guerra de ambas naciones hicieron acto de presencia en el Caribe. Estados Unidos vio en ello una amenaza directa a sus propios intereses económicos y políticos.

El gobierno de Roosevelt no tardaría en hacerse cargo de la aduana de la República Dominicana, pagando a los prestamistas extranjeros una parte del dinero que entraba en el país a través de los productos comerciales.

En 1904, Roosevelt se dirigió al Congreso e introdujo el corolario de Roosevelt. Este corolario estaba vinculado a la Doctrina Monroe y garantizaba que Estados Unidos actuaría en caso de que cualquier potencia europea invadiera América Latina. El corolario se considera una de las piedras angulares de Estados Unidos, que se estableció como ejecutor en la política exterior invadiendo a otros países que hacían el mal, no solo en América Latina, sino en el mundo.

El corolario de Roosevelt se asociaría a la política del «Gran Garrote» de Teddy Roosevelt. El nombre se lo ganó el proverbio: «Habla suavemente y lleva un gran garrote». Es muy posible que Roosevelt inventara la cita él mismo, aunque la atribuyó a un proverbio de África Occidental.

En otras palabras, el corolario de Roosevelt era otra forma de que Estados Unidos afirmara su dominio cuando fuera necesario hacerlo. El corolario de Roosevelt también justificó la intervención de Estados Unidos en América Latina, incluidas las naciones caribeñas de Cuba y la República Dominicana.

Estados Unidos ocupó la República Dominicana en 1916. Desde su independencia en 1844, la República Dominicana había experimentado los dolores de crecimiento de convertirse en un país independiente. Había sufrido varios cambios de liderazgo y tenía una deuda de más de 30 millones de dólares. Estados Unidos intentó instalar un presidente que se sometiera a su autoridad, pero fracasó. Así que mantuvo el control del país a través de un gobierno militar.

Durante la ocupación, se enfrentaron a las rebeliones de los dominicanos. Con el paso del tiempo, la ocupación se volvió impopular tanto en la República Dominicana como en Estados Unidos.

El presidente Warren Harding tomó la decisión de retirar las tropas estadounidenses. En 1922, algunas de las tropas se retiraron, y las últimas abandonaron la isla en 1924.

El turismo y el auge de la economía caribeña

La industria turística del Caribe se remonta a finales del siglo XVIII. Se creía que era un lugar para el turismo curativo (un lugar fuera del país de origen donde se puede descansar y recuperarse de una enfermedad). Entre los viajeros notables que visitaron el Caribe se encuentra George Washington, que se convertiría en el primer presidente de EE. UU. En 1751, viajó a Barbados con su hermanastro Lawrence, que padecía tuberculosis. Fue tratado en Bush Hill House, en la isla. Esto no ayudó a Lawrence, ya que murió un año después en Mount Vernon, Virginia.

Una de las mayores ventajas de Barbados era que la amenaza de la malaria era escasa o inexistente. El turismo curativo llegaría a Nieves, donde el Hotel Bath abrió sus puertas en 1778.

Se cree que el Bath Hotel fue el primer hotel del Caribe. Una de sus mejores características eran sus aguas termales. A lo largo del siglo XIX, se abrieron más hoteles en la región, como el Royal Victorian Hotel en Las Bahamas y el Crane Beach en Barbados.

En aquella época, muchos viajeros llegaban a Barbados y otras partes del Caribe en barco de vapor. Los europeos adinerados solían pasar los inviernos en el Caribe. Muchos de ellos viajaban a las colonias caribeñas que controlaba su patria.

Los ciudadanos británicos acudían especialmente a Barbados y Jamaica. Los ciudadanos franceses adinerados viajaban a Martinica, mientras que los holandeses lo hacían a Curazao. Cuba y Las Bahamas se convirtieron en destinos caribeños populares para los estadounidenses.

A finales de la década de 1930, el Caribe llegó a recibir hasta 100.000 turistas por año. Muchos turistas viajaban por vacaciones y pasaban tiempo en las playas. Con el aumento de la calidad de vida y la ausencia de conflictos violentos (al menos en su mayor parte), el Caribe vio la oportunidad de hacer crecer su economía turística.

El turismo pronto rivalizaría con otras industrias como el azúcar y el plátano. Los precios de estas industrias no eran tan competitivos debido a la aprobación de políticas de libre comercio. El Caribe vería prosperar su industria turística, aunque hubo una desaceleración durante la Segunda Guerra Mundial. Pero después de la Segunda Guerra Mundial, el turismo volvió a crecer, y en la década de 1960 millones de personas visitaban la región anualmente. El Caribe sigue siendo conocido por sus impresionantes paisajes y su hermoso clima durante todo el año.

Isla Blue Lagoon, Bahamas
Dolphins, CC BY-SA 3.0 <https://creativecommons.org/licenses/by-sa/3.0>, vía Wikimedia Commons; https://commons.wikimedia.org/wiki/File:Blue_Lagoon.JPG

Posesión estadounidense de las Islas Vírgenes

El interés de Estados Unidos por el Caribe continuó durante el siglo XX. En 1902, intentó comprar las Islas Vírgenes a Dinamarca.

El gobierno danés no se opuso a la venta de la colonia a Estados Unidos. El Folketinget aprobó la venta por un voto de ochenta y ocho a siete, enviándola al Landstinget, la otra cámara del Parlamento danés.

El Landstinget creía tener suficientes votos para aprobar la venta. Sin embargo, un anciano fue llevado al Landstinget en ambulancia. A su llegada, la votación del Landstinget quedó en punto muerto; por tanto, la venta inicial de las Islas Vírgenes fracasó.

Estados Unidos esperaría otros quince años antes de adquirir finalmente las islas y rebautizarlas como Islas Vírgenes estadounidenses. Esta vez, su intención era comprar las islas por el temor a que Alemania ocupara Dinamarca durante la Primera Guerra Mundial. El presidente Woodrow Wilson elaboró un tratado, que se firmó el 16 de enero de 1917.

A cambio de la cesión de las Islas Vírgenes por parte de Dinamarca, Estados Unidos pagó 25 millones de dólares en monedas de oro a los daneses. En 1934, el territorio insular comenzó a utilizar el dólar estadounidense, en sustitución del daler que se utilizaba en las Antillas danesas.

Ocupación estadounidense de Haití

En 1915, Haití sufría de inestabilidad política y económica, lo que finalmente condujo al asesinato del presidente haitiano Vilbrun Guillaume Sam. Estados Unidos permanecería en Haití durante los siguientes diecinueve años.

¿Pero por qué quería Estados Unidos tener algo que ver con Haití en primer lugar? Estados Unidos quería utilizar a Haití con fines militares y económicos. Los Estados Unidos creían que Haití sería un gran sitio para una base naval. El interés de Estados Unidos por Haití se remonta a 1868, cuando Andrew Johnson planteó la idea de crear una base allí. A lo largo de las décadas de 1880 y 1890, Estados Unidos intentó, sin éxito, conseguir un contrato de arrendamiento que le permitiera añadir fuerzas militares a la nación caribeña.

Aunque Estados Unidos dijo que el envío de tropas estadounidenses a Haití evitaría la anarquía, los verdaderos motivos se debían a dos razones. La primera era su intención de proteger sus activos en Haití, y la segunda, la preocupación por una posible invasión alemana.

Haití mantenía en ese momento lazos diplomáticos y económicos con Francia. Haití estaba endeudado, aunque el gobierno francés tenía un poder considerable sobre sus finanzas y su política comercial. Estados Unidos tenía problemas con los lazos de Haití con Francia y también tenía una creciente preocupación por el hecho de que Alemania hiciera negocios en la isla.

El presidente estadounidense Woodrow Wilson sugirió que se reescribiera la Constitución de Haití e incluyera la aceptación de que los extranjeros fueran propietarios de tierras. La propuesta fue rechazada y los haitianos redactaron una constitución propia, que no satisfizo a Estados Unidos.

Estados Unidos ordenó al presidente Philippe Sudre Dartiguenave que disolviera la legislatura después de que sus miembros se negaran a aprobar la constitución. El mayor Smedley D. Butler, que dirigía a los marines que ocupaban Haití, obligó a cerrar el Senado mediante la intimidación a punta de pistola.

Estados Unidos instaló presidentes que beneficiaban sus intereses, aunque los mulatos ricos y otros haitianos influyentes también se beneficiaron. Esto sería un problema para el haitiano medio, que quería a alguien que representara sus intereses.

A finales de 1915 se formó la Gendarmería, una fuerza ocupacional compuesta por haitianos y estadounidenses. Los marines de Estados Unidos la supervisaban. Además de controlar el ejército, Estados Unidos también obtuvo el control de las finanzas de Haití.

Durante la ocupación estadounidense de Haití, estallaron la primera y la segunda guerra caco. La primera guerra caco fue desencadenada en 1915 por los rebeldes haitianos (conocidos como caco). Los cacos estaban molestos por la ocupación estadounidense y protestaban por el restablecimiento del sistema de corvea (trabajos forzados no remunerados), ya que consideraban que estaban retrocediendo a los tiempos de la esclavitud. Aunque hubo pocas bajas en el bando estadounidense, doscientos rebeldes cacos murieron.

La segunda guerra caco comenzó en 1918, con la pérdida de veintiocho estadounidenses y casi setenta gendarmes. Los rebeldes cacos perderían casi dos mil hombres. La segunda guerra caco resultó ser mucho más mortífera para los rebeldes, pero también ayudó a sacar a la luz las atrocidades que estaban ocurriendo. Sin embargo, el Congreso estadounidense no escuchó los testimonios de los haitianos y dijo que la ocupación era necesaria para evitar «la revolución crónica, la anarquía, la barbarie y la ruina».

La ocupación estadounidense de Haití se ha visto empañada por la polémica. Estados Unidos estableció un régimen militar y reprimió a los haitianos que se oponían a él. Estados Unidos fue culpable de imponer el sistema de corvea al pueblo haitiano, así como de ejecuciones extrajudiciales, censura y actos de racismo. Alrededor de 15.000 haitianos fueron asesinados durante la ocupación, y al menos 5.500 murieron solo en los campos de trabajo.

A pesar de la participación estadounidense, la estabilidad política de Haití nunca mejoró. Con muchos haitianos en la pobreza, en 1929 se produjeron levantamientos contra Estados Unidos. Esto condujo a un conflicto conocido como la masacre de Les Cayes, que provocó la muerte de entre doce y veintidós haitianos después de que los marines abrieran fuego contra manifestantes pacíficos.

Pronto, la presión internacional contribuyó a la salida de Estados Unidos de Haití. Mientras preparaba su salida, ayudó a los haitianos formándolos en el funcionamiento de su gobierno. Cuando el presidente Franklin Delano Roosevelt llegó a la presidencia a principios de 1933, Estados Unidos y Haití acordaron poner fin a la ocupación a finales de ese año, en agosto. Los últimos marines estadounidenses se marcharon en 1934.

La Primera Guerra Mundial en el Caribe

Cuando estalló la Primera Guerra Mundial en Europa, las naciones de las Indias Occidentales enviaron unos dieciséis mil soldados para luchar por los Aliados. La región proporcionó hombres, municiones y fondos para el esfuerzo bélico.

En Francia, la conscripción estaba en vigor. Esto incluía a los ciudadanos de las naciones caribeñas francesas de Martinica y Guadalupe.

Después de la Primera Guerra Mundial, los soldados de las Antillas recibieron premios por su servicio. Entre ellas, más de treinta cruces militares y cinco Órdenes de Servicio Distinguido. El Caribe se vio afectado por la guerra. Por ejemplo, hubo un boom petrolero en Trinidad, mientras que la industria naviera de Jamaica se resintió debido a la disminución de las importaciones y exportaciones.

La batalla del Caribe (1941-1945)

Sin embargo, el Caribe entró en acción en la Segunda Guerra Mundial. Las importaciones de petróleo del Caribe y del golfo de México se enviaron para ayudar a los Aliados. Las potencias del Eje, Alemania e Italia, intentaron detener esa ayuda e interrumpir las líneas de suministro. Ninguna de las naciones caribeñas apoyaba a las Potencias del Eje, por lo que ninguna de ellas estaba dispuesta a ayudar al Eje a conseguir sus objetivos en el Caribe.

La Operación Neuland comenzó el 16 de febrero de 1942. Los submarinos alemanes lanzaron varios ataques contra petroleros cerca de Aruba y Curazao. Los submarinos italianos se situaron cerca de las Antillas Menores durante la operación.

La Operación Neuland fue una victoria exitosa para las Potencias del Eje. Sin embargo, sería una de las únicas victorias importantes que lograron en el Caribe.

Los nazis también intentaron atacar Puerto Rico, pero no sufrieron daños. Aun así, los submarinos siguieron atacando varios barcos aliados frente a las costas estadounidenses a medida que pasaban los años. Solo se perderían diecisiete submarinos de las Potencias del Eje, mientras que cientos de buques mercantes aliados fueron destruidos por Alemania e Italia.

A pesar de perder la Operación Neuland, las fuerzas aliadas se alzarían con la victoria en los teatros del Pacífico y del Atlántico tras la caída de las Potencias del Eje.

Reflexiones finales

A principios del siglo XX, Estados Unidos dejó claro que las potencias europeas no debían invadir el hemisferio occidental y justificó sus intereses en el Caribe. Se impondría en la región mediante la ocupación o la adquisición de territorio. Hoy en día, la ocupación estadounidense del Caribe no siempre se ve con buenos ojos, ya que sus acciones pasadas se consideran a veces controvertidas.

Mientras tanto, las colonias británicas y francesas suministraban soldados para luchar en el frente en Europa. El Caribe no entró en acción en la Primera Guerra Mundial, pero sí en la Segunda.

En la Segunda Guerra Mundial, las Potencias del Eje se acercaban peligrosamente a suelo estadounidense. Sin embargo, su misión de interrumpir las líneas de suministro fracasó, y las fuerzas aliadas pudieron seguir adelante y derrotar a las Potencias del Eje.

Capítulo 8 - Dictaduras en el Caribe

A finales del siglo XIX, algunas naciones caribeñas se habían liberado de las potencias europeas para formar sus propios estados independientes. Ya no querían vivir bajo la autoridad de entidades gubernamentales que estaban a miles de kilómetros de distancia.

Sobre el papel, parecía que los habitantes de estas naciones independientes querían vivir libremente y según sus propias leyes. Sin embargo, con el paso del tiempo, las dictaduras se convirtieron en algo habitual en el Caribe y otras partes de América Latina. En este capítulo se tratarán las dictaduras más destacadas de finales del siglo XIX y del XX.

La República Dominicana vio pasar varios dictadores, especialmente Ulises Heureaux y Rafael Trujillo. Los que se oponían a la dictadura solían huir o ser ejecutados. El régimen autoritario pronto se convertiría en algo común en las naciones vecinas de Haití y Cuba. La idea de estados libres e independientes en el Caribe no parecía ser una posibilidad.

La República Dominicana bajo la dictadura

Pedro Santana

Aunque uno de los dictadores más notables de la República Dominicana fue Trujillo, muchos de sus predecesores gobernaron la mitad oriental de La Española con mano de hierro. Aunque la República Dominicana declaró su independencia de España en 1821, no formó su primera república hasta dos décadas después debido a la anexión y ocupación de Haití.

En 1844, Pedro Santana reclamó el poder como primer líder de la República Dominicana. Era conocido por ser un líder militar, pero gobernaba como un dictador y eliminaba a cualquiera que se opusiera a su autoridad. También ejecutó a los que lo amenazaban, incluido el general Antonio Duvergé (junto con su hijo), por cargos de conspiración.

Capturó a otros opositores políticos y los acusó también de conspiración. Los opositores políticos de Santana fueron a menudo encarcelados, torturados y ejecutados. Una de sus víctimas más notables fue María Trinidad Sánchez, una de las creadoras de la primera bandera de la República Dominicana, que fue ejecutada por un pelotón de fusilamiento en 1845. Se negó a dar los nombres de sus coconspiradores que planeaban derrocar la dictadura de Santana.

Santana asumió el poder como líder de la República Dominicana en cuatro ocasiones diferentes. En 1861, España recuperó el control del país a petición de Santana. Tras perder colonias en el Caribe durante la última media década, España aceptó rápidamente la oferta de Santana y restableció su presencia en el Caribe.

Ulises Heureaux

Una imagen de Ulises Heureaux
Autor desconocido, CC0, vía Wikimedia Commons
https://commons.wikimedia.org/wiki/File:Ulises_Heureaux_en_1893.jpg

Antes de llegar al poder, Ulises Heureaux luchó contra España después de que la nación europea se anexionara la República Dominicana en 1861. Ascendió en el escalafón y ayudó a liderar el derrocamiento de dos regímenes diferentes. Cuando el general Gregorio Luperón asumió la presidencia de la República Dominicana, dio poderes de autoridad a Heureaux, ya que no quería pasar su tiempo en Santo Domingo.

La presidencia de Luperón duró un año, y le sucedió Fernando Meriño, un sacerdote católico. Heureaux formaría parte del gabinete de Meriño como ministro del Interior. Sin embargo, su poder e influencia eclipsaron a Meriño, y finalmente ascendería al poder como presidente de la República Dominicana el 1 de septiembre de 1882, cuando Meriño le transfirió sus funciones.

Durante su primer mandato, Heureaux exilió a su antiguo camarada militar Luperón. Asumió el poder en tres ocasiones diferentes y ejecutó a quienes se oponían a su autoridad.

La corrupción se convirtió en una de las señas de identidad del régimen de Heureaux. Organizó acuerdos financieros con países europeos y se embolsó millones de dólares. Esto llevó al país a la ruina financiera.

Cuando Heureaux fue asesinado en 1899, la República Dominicana era demasiado débil para pagar a las potencias europeas. Estados Unidos, con el presidente Theodore Roosevelt, no tardaría en intervenir.

Rafael Trujillo

Una imagen de Rafael Trujillo
https://commons.wikimedia.org/wiki/File:Presidente_Trujillo_en_1933.jpg

De las muchas dictaduras que se produjeron en el Caribe (y en América en general), el régimen de Trujillo puede haber sido el más destacado e incluso el más brutal. En 1916, Estados Unidos ocupó la República Dominicana debido a varios casos de disturbios.

Un joven Trujillo fue entrenado por el ejército de Estados Unidos y comisionado como oficial. En 1925, fue nombrado comandante de la Policía Nacional. Dos años más tarde, la reconstituyó como ejército bajo su autoridad.

En 1930, Trujillo comenzó su ascenso al poder cuando hizo un trato con Rafael Estrella, un líder rebelde. Si Estrella asumía la presidencia en funciones, permitiría a Trujillo presentarse a las elecciones en caso de que se celebraran otras. Bajo el régimen de Estrella, Trujillo se convirtió en el jefe de la policía y del ejército como parte del acuerdo. Cuando se celebraron nuevas elecciones ese mismo año, Trujillo se presentó a la presidencia, y Estrella se presentó como vicepresidente.

Trujillo utilizó sus milicias y fuerzas policiales para intimidar y acosar a sus oponentes políticos, lo que hizo que los otros candidatos presidenciales abandonaran la carrera. Al final, Trujillo y Estrada se hicieron con el 99% de los votos, una cantidad extravagante. Algunos dicen que recibieron más votos que el número de votantes.

Trujillo llegó a la presidencia en agosto de 1930 y puso al país bajo la ley marcial semanas después de tomar posesión. Un brutal huracán arrasó la región y mató a dos mil personas. La capital quedó tan dañada que tuvo que ser reconstruida.

WHERE THE WINDS RIVALED THOSE OF A TORNADO
A residential district in the city of Santo Domingo after the exceptionally violent hurricane of September, 1930

Una imagen de la destrucción del huracán de 1930 en la República Dominicana
https://commons.wikimedia.org/wiki/File:Wea02216.jpg

Tras la reconstrucción, Trujillo rebautizó la capital con el nombre de Ciudad Trujillo. También pidió que muchos de los monumentos y lugares emblemáticos llevaran su nombre. Consiguió que la República Dominicana fuera un país gobernado por un solo partido político, el Partido Dominicano.

Trujillo ordenó que los empleados del gobierno contribuyeran con el 10 por ciento de sus salarios al tesoro nacional. Por supuesto, la gente no estaba contenta con eso, así que Trujillo hizo todo lo posible para sofocar cualquier disidencia. Se utilizaron tácticas de intimidación en todo el país para conseguir que los dominicanos que no formaban parte del Partido Dominicano se unieran. A los que formaban parte del partido se les exigía que llevaran carnés de afiliación que «confirmaban» su pertenencia. Aquellos que no tuvieran un carné de afiliación podían ser arrestados y acusados del delito de vagancia.

Como era de esperar, los que se oponían al régimen de Trujillo desaparecían y/o eran ejecutados. En 1934, Trujillo no tenía oponentes políticos que lo desafiaran. Aun así, se aseguró de que todas las elecciones estuvieran amañadas a su favor y se aseguró de que nadie pudiera eclipsarlo en cuanto a poder.

Trujillo utilizaba su grupo conocido como «Los 42» para acorralar a cualquiera que se le opusiera. Los opositores temían la visión de un Packard Rojo, también conocido como el «coche de la muerte». Sabían que este coche los llevaría a la perdición, ya que las personas que iban dentro probablemente estaban acorralando a personas en una lista de ejecución que Trujillo mantenía regularmente.

Aunque el Partido Dominicano era el único partido en el poder, Trujillo permitió en una ocasión la creación de un partido político opositor. Sin que los miembros del partido recién creado lo supieran, Trujillo lo utilizó como una oportunidad para averiguar quiénes no le eran leales y mandó arrestar y/o ejecutar a los miembros.

En 1938, Trujillo decidió no presentarse a la reelección, ya que los presidentes estadounidenses habían sentado el precedente de un límite de dos mandatos. Su sucesor elegido fue Jacinto Peynado. Trujillo volvió a la vida pública, pero se presentó a la reelección en 1942, alegando el motivo del presidente estadounidense Franklin Roosevelt para presentarse a un tercer mandato.

Tras el regreso de Trujillo al poder, alargó el límite de los mandatos; en lugar de ser de cuatro años, ahora serían de cinco. Trujillo fue presidente hasta 1952.

Durante su etapa como dictador de la República Dominicana, Trujillo mantuvo relaciones pacíficas con Estados Unidos. Cuando volvió a la presidencia en la década de 1940, declaró su lealtad a las fuerzas aliadas en sus esfuerzos contra Alemania, Italia y Japón. La República Dominicana decidió no enviar a sus soldados al frente.

Trujillo tenía vínculos hostiles con muchas naciones latinoamericanas, especialmente con Venezuela, Costa Rica y Haití. En 1937, orquestó una masacre, creyendo que el país vecino era un refugio seguro para sus oponentes políticos. Ordenó una masacre de haitianos que residían cerca de la frontera con Haití. Hasta doce mil haitianos fueron asesinados, aunque es probable que la cifra sea mayor; el verdadero número de muertos sigue siendo desconocido hasta hoy.

Como resultado de la masacre de Perejil, la República Dominicana se vio obligada a pagar indemnizaciones a las familias de las víctimas para evitar un escándalo internacional. Sin embargo, los 525.000 dólares enviados a Haití nunca llegaron a las familias de las víctimas debido a la corrupción generalizada en el gobierno haitiano.

A finales de la década de 1940, Cuba tenía la vista puesta en invadir la República Dominicana y desalojar a Trujillo del poder. Muchos de los dominicanos que habían huido se instalaron en Cuba. Uno de esos refugiados era Juan Bosch. El gobierno cubano aprobó la idea de invadir la República Dominicana, pero el plan se frustró.

Cuando Fulgencio Batista asumió el mando de Cuba, Trujillo apoyó a los opositores. Sin embargo, cambió de bando y proporcionó apoyo financiero a Batista cuando Fidel Castro empezó a ganar terreno. Los esfuerzos de Trujillo por mantener a Batista en el poder fracasaron, ya que Castro asumió el liderazgo de Cuba en 1959.

Batista huyó a la República Dominicana con la esperanza de que Trujillo le ayudara. Trujillo hizo prisionero a Batista, pero lo ayudó a escapar a Portugal después de que Batista le pagara millones de dólares.

Cuando Castro asumió el poder en Cuba, acusó a Trujillo de provocar a Cuba, ya que el dictador dominicano fue el responsable de ayudar a la fuga de Batista. En respuesta, Trujillo reforzó sus gastos de defensa. El ejército dominicano rechazó la hostilidad cubana, pero estaba claro que los dominicanos estaban descontentos con su gobernante. Trujillo reprimió aún más al pueblo, especialmente a los estudiantes que habían crecido bajo la dictadura represiva.

El 30 de mayo de 1961, Trujillo fue asesinado en una emboscada en las afueras de Santo Domingo. Su hijo, Ramfis, se mantuvo brevemente en el poder, pero trabajó junto al nuevo presidente Joaquín Balaguer para ayudar a liberar al país del régimen anterior. Balaguer también fue un líder violento; unas once mil personas desaparecieron o fueron asesinadas por orden suya. Pero hizo reformas progresistas en el país, permitiendo que el pueblo prosperara de una manera que no existía antes.

Rafael Trujillo fue enterrado en la República Dominicana, pero posteriormente fue exhumado y vuelto a enterrar en España.

De las cosas positivas que ocurrieron bajo el régimen de Trujillo, la República Dominicana fue testigo de la modernización, incluyendo la mejora de sus infraestructuras. Aunque su régimen fue brutal, la República Dominicana disfrutó de cierta paz y prosperidad, especialmente si se compara con los años anteriores.

Cuba bajo Batista

Antes de la llegada al poder de Fulgencio Batista, este comandó la Revuelta de los sargentos que condujo al derrocamiento de Gerardo Machado.

El liderazgo de Cuba cambiaría de manos varias veces a lo largo de la década de 1930. Finalmente, Batista se convirtió en presidente, ganando las elecciones de 1940 a Ramón Grau San Martín. Fueron las primeras elecciones que se celebraron bajo la nueva constitución.

Batista fue apoyado por la Coalición Socialista Democrática y el Partido Comunista de Cuba. Durante su primer mandato, Cuba se puso del lado de las fuerzas aliadas en la Segunda Guerra Mundial. Batista también aprobó muchas reformas sociales y regulaciones económicas en su país.

El mandato de Batista terminó en 1944, con la toma de posesión de Ramón Grau tras derrotar a Carlos Saladrigas Zayas, a quien Batista quería en el poder. Tras dejar el cargo, Batista vivió en Estados Unidos, con casas en Nueva York y Florida. A pesar de vivir en Estados Unidos, siguió participando activamente en la política cubana.

Con Grau, Cuba prosperó y se convirtió en una de las naciones más ricas de América Latina. Posteriormente, Carlos Prío Soccarrás, que fue ministro con Grau, fue elegido en 1948.

Batista regresó a Cuba para presentarse a la presidencia en 1952. Dada su impopularidad, no tenía prácticamente ninguna posibilidad de recuperar su antiguo puesto. Sin embargo, demostró que sus escépticos se equivocaban de forma contundente. Obtuvo el poder mediante un golpe militar el 10 de marzo de 1952, anulando las elecciones. Obligó a Prío a abandonar el poder, y el ex presidente se exilió. Más de dos semanas después, Estados Unidos reconoció el gobierno de Batista.

Bajo el nuevo régimen de Batista, los salarios de los trabajadores industriales aumentaron. Sin embargo, alrededor de una quinta parte de la mano de obra estaba desempleada.

Batista también estableció relaciones con los implicados en el crimen organizado, permitiendo que los jefes de la mafia y sus asociados tuvieran un refugio seguro en Cuba. Gracias a ello, el tráfico de drogas se estableció en la isla. Batista se benefició del comercio y de otras actividades ilícitas como el juego y la prostitución.

En la década de 1950, empezaron a surgir manifestaciones e incluso golpes de estado contra Batista. Se llegó al punto de que Batista hizo purgar a los miembros del ejército cubano que estaban en su contra. Su fuerza policial a menudo torturaba y mataba a los que creaban disturbios en las ciudades. Muchos de los cadáveres de los opositores de Batista eran destrozados y dejados en las calles para enviar un mensaje a los demás. En 1958 se publicó una carta abierta en la que se pedía la salida de Batista del poder. Se cree que hasta veinte mil personas fueron asesinadas durante el tiempo que Batista estuvo en el poder.

Los disturbios contra Batista permitieron a Estados Unidos intervenir y suministrar armas al gobierno cubano. Se opuso a que Castro tomara el poder debido a sus sentimientos izquierdistas. En 1958, Estados Unidos anunció que no vendería más armas a Cuba después de que Batista utilizara napalm y otros equipos militares contra sus opositores.

Ese mismo año, estaba previsto que se celebraran elecciones en Cuba, pero se retrasaron hasta noviembre debido a la convocatoria de una huelga general por parte de Castro. Castro y sus partidarios también colocaron numerosas bombas en zonas civiles de Cuba.

A finales de año, Batista informó a sus funcionarios de su intención de huir de Cuba debido a la abrumadora presencia de los partidarios de Castro, aunque la ineficacia, la brutalidad y la corrupción del régimen de Batista sin duda influyeron en su exilio. El 1 de enero de 1959, Batista abandonó Cuba y se dirigió a la República Dominicana. A la semana siguiente, Fidel Castro celebró la toma del poder en La Habana.

Batista acabó pidiendo asilo en Portugal con la ayuda de Rafael Trujillo después de que Estados Unidos y México le negaran la entrada. António Salazar, el presidente de Portugal, permitió a Batista vivir en el país con la condición de que nunca se involucrara en los asuntos políticos del país.

Batista vivió en Portugal los años que le quedaban. A pesar de los planes de Castro para asesinarlo, Batista murió de un ataque al corazón en 1973 mientras estaba en España. Lo que ocurrió después con Cuba provocó tensiones diplomáticas de larga duración con Estados Unidos.

Haití: Los regímenes de Duvalier

La Española se separó en dos estados independientes: la República Dominicana y Haití. Ambas naciones sufrieron regímenes brutales. Los últimos dictadores caribeños notables que trataremos proceden de Haití. El primero se llamaba François «Papa Doc» Duvalier. Antes de tomar el poder, trabajó como médico.

Una imagen de «Papa Doc» Duvalier
https://commons.wikimedia.org/wiki/File:Francois_Duvalier_of_Haiti.jpg

Duvalier se vio inmerso en las enseñanzas del nacionalismo negro y el vudú, que habían formado parte de la cultura haitiana durante muchos años. (El vudú también se conoce como vudún o voudú; hemos utilizado la grafía que más utilizan los caribeños). Llegó a ser director general del Servicio Nacional de Salud Pública, donde dirigió las campañas de lucha contra el pian (una infección de los huesos y las articulaciones causada por una bacteria) patrocinadas por Estados Unidos. Tras el derrocamiento del presidente Dumarsais Estimé en 1950, Duvalier dejó el gobierno.

Unos años más tarde, comenzó a orquestar el derrocamiento de la junta militar dirigida por Paul Magloire, que a su vez había derrocado a Estimé. Para entonces, Duvalier había pasado a la clandestinidad para evitar su captura. Cuando Magloire dimitió en diciembre de 1956, Duvalier había ganado suficiente popularidad para ser elegido presidente al año siguiente.

Cuando Duvalier se instaló, redujo el número de militares mientras consolidaba el poder. Pensó que era mejor mantener el ejército reducido, teniendo en cuenta su papel activo en el derrocamiento de líderes. Para compensar la falta de personal militar, creó una fuerza policial privada conocida como Tonton Macoute. Su trabajo consistía en intimidar y matar a cualquiera que se opusiera al régimen de Duvalier.

En 1959, Duvalier sufrió un ataque al corazón y puso a su ayudante, Clément Barbot, líder del Tonton Macoute, al frente del gobierno mientras se recuperaba. Aunque Duvalier lo había aprobado, se molestó cuando regresó, acusando a Barbot de pasarse de la raya e intentar tomar el control. Barbot fue arrestado y finalmente liberado, tras lo cual intentó realmente derrocar a Duvalier. El Tonton Macoute acabó matando a Barbot en 1963.

Duvalier tenía fama de manipular las elecciones. Se cree que incluso sus primeras elecciones fueron manipuladas, aunque no tanto como las posteriores. En 1964, Duvalier se convirtió en presidente vitalicio, ganando un improbable 99,9% de los votos.

Durante su mandato, Duvalier permitió que la corrupción se desbordara. En 1963, Duvalier encarnaba un culto a la personalidad en todo Haití. Aparte de su brutalidad, su régimen era conocido por acosar a los miembros de la Iglesia católica; por ejemplo, expulsó a los obispos extranjeros de Haití, lo que provocó su excomunión.

Los disidentes, incluida la población culta, abandonaron el país. Muchos de ellos habían trabajado en la educación y la sanidad, lo que provocó el colapso de esos sistemas. Duvalier también se encargó de confiscar tierras que eran propiedad de los campesinos mientras se embolsaba cientos de millones de dólares en impuestos y dinero de otros países, incluidos 15 millones de dólares pagados anualmente por Estados Unidos para luchar contra la hambruna y la pobreza en Haití. Muchos haitianos murieron de hambre; la hambruna fue generalizada, ya que los campesinos no podían trabajar en sus granjas.

Se cree que sesenta mil personas murieron mientras Papa Doc Duvalier estaba en el poder. Muchos fueron ejecutados por su oposición al régimen. Otras murieron por inanición a causa de la hambruna que asolaba el país.

A principios de la década de 1970, Duvalier estaba enfermo. Murió el 21 de abril de 1971, a la edad de sesenta y cuatro años. Su hijo, Jean-Claude («Bébé Doc»), de diecinueve años, se convertiría en el líder mundial más joven de la época. En un principio, Jean-Claude quería que la presidencia se concediera a su hermana mayor, ya que no quería asumir el poder.

El joven Duvalier siguió empleando el Tonton Macoute para rechazar cualquier oposición al régimen. Sin embargo, realizó algunas reformas. Por ejemplo, liberó a algunos de los presos políticos de su padre y levantó algunas políticas que habían censurado a la prensa.

Durante el tiempo que Bébé Doc estuvo en el poder, mejoró la relación de Haití con Estados Unidos. Muchos de los problemas del país continuaron durante su mandato, incluida la hambruna. Más haitianos huyeron del país hacia Estados Unidos, mientras que otros se fueron a la vecina República Dominicana.

Mientras que los haitianos encontraron una nueva vida en Estados Unidos, los que huyeron a la República Dominicana no tardaron en trabajar en duras condiciones en las plantaciones de azúcar, recibiendo una escasa remuneración por sus servicios. Sin embargo, en términos de derechos humanos, Bébé Doc era una amenaza menor en comparación con su difunto padre.

Cuando se concedió ayuda extranjera a Haití, Bébé Doc se embolsó la mayor parte del dinero para su propio beneficio económico. El FMI (Fondo Monetario Internacional) concedió 22 millones de dólares de ayuda a Haití en 1980 para combatir la hambruna. Bébé Doc y su familia se quedaron con 16 millones de dólares, y otros 4 millones se pagaron a los Tonton Macoute. El resto del dinero se utilizó para mejorar las infraestructuras de Haití.

Los haitianos de clase media y adinerados se encontraron comprando tierras que durante mucho tiempo habían sido inaccesibles. En 1986, Bébé Doc se vio obligado a dimitir a petición de la administración Reagan. Él y su familia huyeron a Francia.

La familia Duvalier abandonó la isla con gran parte del dinero que había robado durante su estancia en el poder. Después de veinticinco años, el joven Duvalier regresó a Haití, alegando que quería ayudar a la reconstrucción del país.

El dinero que tenía en su poder fue congelado y pronto reclamado por el gobierno haitiano al ser investigado por cargos criminales. Bébé Doc murió en Puerto Príncipe el 4 de octubre de 2014, de un ataque al corazón.

Reflexiones finales

Tres grandes naciones del Caribe escribieron una sórdida historia sobre el autoritarismo. Quienes se oponían a él eran encarcelados o asesinados. Las políticas promulgadas por estos gobiernos mataban a miles de personas debido a la hambruna.

Muchas personas dejaron atrás sus antiguas vidas en busca de otras nuevas. Era difícil que la gente se quedara, ya que los dictadores hacían de la corrupción uno de sus principales pilares en un esfuerzo por conservar el poder el mayor tiempo posible. Estados Unidos se alineaba con ellos o se oponía, dependiendo del sentimiento de la nación y de quien estuviera en el poder.

Irónicamente, los dictadores que eran brutales por derecho propio apoyaban a las fuerzas aliadas contra los regímenes totalitarios de Europa y Japón. Esto se debió principalmente a su alianza con Estados Unidos. Sin embargo, a finales de la década de 1980, solo un dictador del Caribe seguía en el poder.

Cuando Fidel Castro tomó el control de Cuba, nadie sabía el tipo de impacto que tendría en el mundo. El Caribe pronto se convirtió en un lugar de preocupación, ya que Estados Unidos se preocupaba por cómo el comunismo en Cuba le afectaría a él y a sus aliados.

Capítulo 9 - Cuba bajo Castro y el comunismo en el Caribe

Aunque las dictaduras de Trujillo en la República Dominicana y de los Duvalier en Haití fueron manchas en la historia del Caribe, un hombre sobreviviría a ambas. Fidel Castro lideró una revolución antibatistiana durante gran parte de la década de 1950 y consiguió derrocar al gobierno en 1959.

Durante el siguiente medio siglo, Castro se ganó el apoyo de muchos jóvenes y cubanos de clase baja gracias a sus reformas sociales. Sin embargo, la clase media, los ricos y los profesionales se opusieron a él y huyeron del país, y muchos se fueron a Estados Unidos. Con el tiempo, Castro se encontró en la escena mundial al asociarse con la Unión Soviética durante la Guerra Fría.

Con Cuba y la Unión Soviética alineadas, la preocupación por el comunismo en el patio trasero de Estados Unidos comenzó a crecer. Cuando Ronald Reagan asumió la presidencia, le preocupaba que el Caribe se convirtiera en un «lago rojo».

A pesar de ello, Castro siguió siendo una figura muy querida durante toda su vida. El comunismo intentó extenderse en el Caribe, pero fracasó. Incluso llegó a producirse un conflicto armado con Estados Unidos en Granada.

Comienza el régimen castrista

Una imagen de Fidel Castro en 1959
https://commons.wikimedia.org/wiki/File:Fidel_Castro_1950s.jpg

Cuando comenzó 1959, Fidel Castro celebró su esperada victoria sobre el régimen de Batista. Sin embargo, al principio no era presidente. En su lugar, ejerció de primer ministro, comenzando su mandato de dos décadas el 16 de febrero. El cambio de gobierno supuso el inicio del fin de las relaciones diplomáticas entre la isla caribeña y Estados Unidos, situación que duraría más de cincuenta años.

En abril siguiente, Castro visitó Washington para reunirse con el presidente Dwight D. Eisenhower. Sin embargo, el vicepresidente Richard Nixon visitó a Castro en su lugar, para consternación de este último. Aunque Nixon pensaba que Castro era un líder natural, creía que no entendía lo que significaba el comunismo y que no tenía una estrategia sólida para reconstruir Cuba. (Castro negó repetidamente ser comunista, pero adoptó la etiqueta más tarde en su vida. Es probable que fuera comunista desde que asumió el poder en 1959, ya que colocó a muchos marxistas en altos cargos y mantuvo creencias alineadas con el comunismo). Castro, en cambio, no tenía nada bueno que decir sobre el vicepresidente estadounidense, que se convertiría en presidente por derecho propio diez años después.

Castro viajó por todo el continente americano para conseguir financiación para un plan propuesto que beneficiaría económicamente a América Latina. Sin embargo, sus esfuerzos fracasaron. En casa, Castro aprobó reformas, incluida la Primera Reforma Agraria. Esta política establecía un tope de tierras y prohibía a los extranjeros comprar tierras en Cuba.

Esta política benefició en gran medida a los campesinos cubanos, pero alienó a los ricos terratenientes, que tuvieron que renunciar a sus tierras en virtud del tope de tierras. La madre de Castro era terrateniente y perdió algunas de sus tierras de cultivo en virtud de esta política. En 1960, Castro consiguió redistribuir más del 15% de la riqueza total del país.

Las políticas agrícolas llevaron al gobierno cubano a confiscar tierras que habían sido propiedad de estadounidenses y en las que habían invertido. También se confiscaron las tierras de los cubanos ricos que ya habían huido o huirían posteriormente del país. Asimismo se nacionalizaron las industrias azucarera y petrolera, lo que molestó a muchos en todo el mundo debido a las inversiones extranjeras.

Castro promovió el turismo en Cuba, especialmente dirigido a los afroamericanos para que lo visitaran. Su principal argumento de venta era que Cuba era un país libre de discriminación racial, lo que parecía ser un ataque a Estados Unidos por sus leyes de segregación.

Al primer ministro cubano le gustaba estar en contacto con el pueblo llano, y empezó a hablarle directamente a través de la televisión y la radio. Era popular entre la mayoría de la población, concretamente entre los campesinos y los trabajadores. La población cubana más joven también era gran partidaria del régimen castrista. Pero muchos profesionales, como médicos e ingenieros, no eran fans de Castro. Cuando se fueron, Cuba se encontró en medio de una fuga de cerebros.

Alianza con la Unión Soviética

En 1960, Cuba ya se había alineado con la Unión Soviética. Castro había desarrollado graves sentimientos antiestadounidenses y compartía las mismas opiniones que la Unión Soviética y otros países que adoptaron el marxismo-leninismo. Cuba y la Unión Soviética hicieron varios acuerdos económicos entre sí.

Castro temía que Estados Unidos patrocinara un golpe de estado para derrocarlo debido a sus vínculos con la Unión Soviética comunista y a su desprecio por Estados Unidos. Para disuadirlo, creó la Milicia Popular, formada por cincuenta mil civiles cubanos. Incluso recibió el apoyo de algunos ciudadanos estadounidenses cuando realizó una visita a las Naciones Unidas en Nueva York.

Sus partidarios gritaron consignas para mostrar su apoyo a él y a lo que estaba haciendo Cuba: «¡Cuba no está en venta!» «¡Abajo el imperialismo yanqui!». La multitud era ruidosa, pero aunque arrojaron monedas, la protesta no se tornó violenta.

Durante su visita, Castro se reunió con figuras antisistema como Malcolm X. El discurso de Castro ante la Asamblea de las Naciones Unidas duró más de cuatro horas y media. Atacó a Estados Unidos por sus políticas capitalistas que afectaban a América Latina.

La invasión de bahía de Cochinos

En 1961, la embajada de Estados Unidos en La Habana sufrió un duro golpe, ya que gran parte de su personal fue expulsado. Castro creía que había espías trabajando allí. Estados Unidos tomó represalias cortando formalmente los lazos con Cuba. Antes de que Eisenhower dejara el cargo, la CIA estaba en las primeras fases de planificación de un golpe de estado para derrocar al régimen de Castro.

En 1960, Eisenhower dio luz verde a la CIA para llevar a cabo el plan. Los agentes de la CIA llegaron a Guatemala para comenzar el entrenamiento. En noviembre, una pequeña unidad conocida como el Frente Democrático Revolucionario Cubano había sido entrenada en la guerra de guerrillas.

Otro grupo que se formó al año siguiente fue el Consejo Revolucionario Cubano, dirigido por José Miró Cardona. Antes de abandonar el país, había sido primer ministro. Castro asumió el cargo tras su marcha. (Cardona no fue expulsado por Castro; parece que Cardona podía ver el escrito en la pared de lo que iba a venir bajo un régimen fuertemente influenciado por Castro). Si Cardona tenía éxito en sus esfuerzos por derrocar a Castro, EE. UU. aceptó que se convirtiera en presidente hasta que se celebraran elecciones.

El plan para derrocar a Cuba debía mantenerse en secreto. Sin embargo, los cubanos exiliados en Miami se enteraron de los planes y se convirtió en un tema de conversación frecuente. Sin que el gobierno de Estados Unidos lo supiera, los espías de Castro ya se habían situado en Florida y se habían enterado de la invasión prevista.

Los planes de la operación fueron retomados por John F. Kennedy, que fue investido presidente en 1961. En abril del año siguiente, comenzó la invasión de Cuba dirigida por Estados Unidos. Un pequeño grupo de fuerzas del exilio cubano se desplegaría en la costa oriental de Cuba para distraer a Castro de bahía de Cochinos.

Al principio, Estados Unidos pretendía lanzar ataques aéreos contra dos bases aéreas cubanas. Más de 1.400 exiliados cubanos llegaron en un ataque sorpresa mientras los paracaidistas intentaban interrumpir el avance de las fuerzas cubanas.

Mientras tanto, los miembros del Frente Revolucionario Unido tendrían gente en espera en el sur de Florida, a la espera de la noticia de la invasión. Si la invasión era un éxito, serían enviados a Cuba para ayudar a formar un gobierno provisional.

El 15 de abril de 1961, ocho bombarderos salieron de Nicaragua para llevar a cabo el ataque aéreo. La CIA utilizó bombarderos B-26 y los disfrazó como aviones de la Fuerza Aérea de Cuba. Sin embargo, los bombarderos eran obsoletos y no alcanzaron los objetivos previstos. Kennedy canceló el segundo ataque aéreo.

Dos días después, una brigada desembarcó en bahía de Cochinos, solo para ser recibida por las fuerzas cubanas. La Fuerza Aérea cubana hundió barcos y desbarató los avances de los exiliados cubanos en tierra. La mitad del apoyo aéreo de los exiliados fue destruido debido a la fuerza abrumadoramente mayor de los cubanos. Castro envió veinte mil soldados, que superaban ampliamente a las fuerzas de invasión de bahía de Cochinos, y la Fuerza Aérea cubana permaneció en alerta máxima hasta bien entrado el día siguiente. El 19 de abril, el presidente Kennedy ordenó una operación aérea para proteger los bombarderos B-26 restantes.

Las fuerzas cubanas los destruyeron. Como resultado, la invasión planeada fracasó. Aunque algunos de los exiliados escaparon, muchos de ellos fueron encarcelados o ejecutados por sus esfuerzos.

La fallida invasión de bahía de Cochinos se convirtió en una mancha en el legado del presidente John F. Kennedy. Sin embargo, no sería la última vez que tuvo que lidiar con una situación en Cuba durante su breve mandato.

La crisis de los misiles en Cuba

En 1962, la Unión Soviética trató de reforzar su poderío militar. El primer ministro soviético Nikita Jruschov deseaba instalar misiles nucleares en suelo cubano. Castro aceptó la oferta, confiando en que la Unión Soviética protegería a Cuba de una posible invasión estadounidense, al tiempo que impulsaba la ideología marxista-leninista (Castro admitió que era marxista-leninista a finales de 1961).

Estados Unidos descubrió los misiles soviéticos mediante fotos de reconocimiento de aviones. El descubrimiento condujo a la crisis de los misiles en Cuba. Castro afirmó que los misiles estaban allí con fines de defensa, pero Estados Unidos creía que los soviéticos utilizarían Cuba para lanzar ataques ofensivos.

En respuesta, Kennedy envió unidades navales estadounidenses para crear un bloqueo. Dejó claro que Estados Unidos estaba preparado para utilizar la fuerza militar si un ataque era inminente. Del 16 al 29 de octubre, los países de todo el mundo estuvieron en vilo, esperando que no se produjera una guerra nuclear.

El 27 de octubre, un avión de reconocimiento estadounidense se dirigía a Florida cuando fue derribado por un misil. El piloto, Rudolf Anderson, murió, lo que solo sirvió para aumentar las tensiones. Mientras tanto, una fuerza de invasión estaba en espera en Florida.

El mismo día en que Anderson perdió la vida, la Unión Soviética y Estados Unidos intentaban llegar a algún tipo de compromiso. Ninguna de las partes quería que estallara una guerra total. Jruschov envió un mensaje a Kennedy en el que afirmaba que los misiles se retirarían si Estados Unidos se comprometía a no invadir Cuba, y si Estados Unidos retiraba sus misiles de Turquía y del sur de Italia (algunos sostienen que los misiles del sur de Italia no formaban parte del acuerdo; el acuerdo fue bastante secreto, por lo que es probable que nunca conozcamos todos los detalles).

A cambio, los soviéticos retiraron sus misiles de Cuba. Castro se quedó intencionadamente fuera de las negociaciones y se sintió traicionado por alguien a quien consideraba un digno aliado.

Tras ello, Castro propuso a Estados Unidos que retirara sus fuerzas de la base naval de la bahía de Guantánamo, que Estados Unidos tenía en su poder desde 1903. Había sido arrendada permanentemente a Estados Unidos, lo que significaba que pagaba por la base cada año (Estados Unidos sigue pagando a Cuba por la base naval hasta el día de hoy, pero Cuba se niega a cobrar los cheques). El gobierno cubano creía que Estados Unidos había tomado el terreno por la fuerza y quería recuperarlo. Castro también pidió a Estados Unidos que dejara de violar el territorio marítimo y el espacio aéreo de Cuba y que pusiera fin a su apoyo a los disidentes del régimen. Estados Unidos no tardó en hacer caso omiso de su propuesta.

En 2002, se abrió una prisión militar en la bahía de Guantánamo. Ha sido objeto de escrutinio por supuestos casos de violación de los derechos humanos. Estados Unidos no tiene límite de tiempo en el alquiler de la bahía de Guantánamo, por lo que su presencia allí solo terminará si decide marcharse o si se puede llegar a algún tipo de acuerdo con Cuba.

Cuba en los años 60 y 70

A lo largo de las décadas de 1960 y 1970, Cuba tuvo problemas económicos. En 1969, gran parte de sus cosechas de azúcar fueron destruidas por un huracán, lo que provocó una difícil cosecha. El país no pudo cumplir la cuota de exportación. Castro sintió que había fallado a su pueblo y se ofreció a dimitir.

Sin embargo, los cubanos lo querían. Sí, la economía estaba sufriendo, pero Castro cambió la forma de vivir de los campesinos. La educación era fuerte, y la atención sanitaria del pueblo era mejor que nunca. La mayoría de la gente tenía casas (Cuba proporciona viviendas al pueblo porque estas son propiedad del gobierno), y Castro construyó una amplia red de carreteras en el país. La vida podía ser difícil, pero para la mayoría de la gente, la vida era mejor de lo que había sido bajo otros gobernantes.

La Unión Soviética se ofreció a ayudar a Cuba a resolver sus problemas económicos. La economía experimentó un crecimiento en 1974, cuando los precios del azúcar subieron. Además, varias naciones proporcionaron créditos a Cuba. La economía volvería a sufrir en 1980, cuando el mercado del azúcar volvió a caer.

En cuanto a la política internacional, Castro centró su atención en Angola, situada en el suroeste de África. El país se vio envuelto en una guerra civil en 1975, y Castro apoyó al comunista Movimiento Popular para la Liberación de Angola (MPLA). En noviembre de 1975, Castro envió fuerzas cubanas a Angola. La Unión Soviética también envió tropas. Su apoyo terminó en 1991 con la disolución de la Unión Soviética, pero el PMLA acabó triunfando.

El éxodo del Mariel y las nuevas tensiones con Estados Unidos

En la década de 1980, Cuba estaba desesperada desde el punto de vista financiero, y el gobierno vendía bienes valiosos a cambio de productos electrónicos fabricados en Estados Unidos a través de canales comerciales ilegales en Panamá. Con el tiempo, muchos cubanos se marcharon y buscaron refugio en Florida. Castro vio esto como una oportunidad para deshacerse de lo que consideraba «indeseables». Expulsó a los homosexuales, a los delincuentes y a los enfermos mentales.

Más de 120.000 cubanos salieron de Mariel, que está a unas veinticinco millas al oeste de La Habana, hacia Miami. El incidente se conoce como el "el éxodo del Mariel». Cuando Ronald Reagan llegó a la presidencia en 1981, dejó claro que su administración haría planes para sacar a Castro del poder.

Una imagen de uno de los muchos barcos que llevaron a los cubanos a Estados Unidos
https://commons.wikimedia.org/wiki/File:Mariel_Refugees.jpg

A lo largo de la década de 1980, Reagan vigiló a Castro, lo que incluyó la ayuda a las fuerzas anticomunistas de Centroamérica, como los Contras en su esfuerzo por derrotar a los sandinistas. El apoyo de Estados Unidos a los Contras ha sido visto de forma negativa, ya que los Contras utilizaron tácticas de terror y cometieron violaciones de los derechos humanos.

En una entrada de su diario fechada en 1982, el presidente Reagan señaló que el primer ministro jamaicano Edward Seaga había vencido al ex primer ministro Michael Manley en las elecciones de 1980. Manley estaba respaldado por Castro y el Partido Comunista de Cuba. Reagan y Seaga trataron de evitar que el Caribe se convirtiera en un «lago rojo». Los intentos de Cuba de propagar el comunismo no tardarían en conocerse, y Estados Unidos se encontró en medio de ello.

El incidente de Granada

Antes de 1974, Granada estaba bajo la autoridad de la Corona británica. La independencia no sería fácil para los granadinos. Cinco años después, el Movimiento de la Nueva Joya, dirigido por

Maurice Bishop, tomó el poder. Bajo el régimen, se encarceló a los presos políticos y se suspendió la constitución.

A lo largo de su mandato, Bishop modeló su liderazgo según el modelo de Castro. Estableció vínculos con Cuba y la Unión Soviética. Uno de los principales proyectos que aprobó fue la construcción de un aeropuerto internacional. Reagan insistió en que el aeropuerto era en realidad una forma de alojar aviones soviéticos en la zona.

En 1983, la dirección del partido en Granada había empezado a resquebrajarse. Un grupo de oficiales militares dio un ultimátum a Bishop: compartir el poder con su viceprimer ministro o dimitir de su cargo. Bishop se negó y acabó siendo detenido.

Más tarde fue liberado durante una manifestación organizada por sus partidarios. Bishop viajó a Fort Rupert (el actual Fort George), donde se enfrentó a las fuerzas militares. Fue capturado y luego ejecutado, junto con otros miembros de su gabinete.

Uno de los asesinos de Bishop desmembró su cuerpo y lo quemó, junto con los miembros del gabinete que también fueron asesinados. Sus restos nunca se han encontrado. Tras la muerte de Bishop, Bernard Coard asumió el poder.

Por aquel entonces, los militares granadinos decretaron un toque de queda que amenazaba con la ejecución de cualquier persona que lo infringiera. Pronto, el presidente Reagan inició los preparativos para una invasión de Granada dirigida por Estados Unidos.

Durante la invasión, que duró del 25 al 29 de octubre de 1983, casi ochocientos ciudadanos cubanos se encontraban en la isla. Muchos de ellos eran trabajadores de la construcción (que también hacían las veces de reservistas militares), pero otros trabajaban en diversas ocupaciones, incluidas las militares.

Las fuerzas especiales de EE. UU. se desplegaron en Granada el 23 de octubre. También se enviaron los SEAL de la Marina y las Fuerzas Aéreas de EE. UU. Cuatro SEAL murieron en un incidente no relacionado con el combate debido a un lanzamiento fallido de un helicóptero. Los SEAL intentaron otra misión al día siguiente, pero fue cancelada posteriormente debido a las condiciones meteorológicas.

En total, Reagan envió unos dos mil militares estadounidenses a Granada. Invadieron la isla el 25 de octubre, utilizando la escasa información de que disponían. Los Estados Unidos pronto se enfrentaron a las fuerzas granadinas, junto con el ejército cubano, que ya estaba en la isla.

Pronto llegarían más tropas de Estados Unidos, con la ayuda de la Organización de Estados Americanos, lo que elevó el número de efectivos estadounidenses a siete mil. Estados Unidos rechazó a las fuerzas comunistas gracias a su abrumador poderío militar. Los Estados Unidos perdieron diecinueve soldados, mientras que los granadinos y los cubanos perdieron un total de sesenta y nueve hombres.

Bernard Coard fue detenido, junto con otras personas, por su relación con el asesinato de Maurice Bishop y varios miembros de su gabinete. Coard fue originalmente condenado a muerte, pero su sentencia fue conmutada por cadena perpetua en 1991. En el momento de escribir este artículo, sigue en prisión.

El incidente de Granada puso a Cuba en alerta máxima. Castro incluso atacó verbalmente a la administración Reagan, calificándola de fascista y belicista.

La Cuba postsoviética

En 1985, Mijail Gorbachov asumió el cargo de primer ministro de la Unión Soviética. Lanzó una serie de reformas políticas y económicas conocidas como *perestroika* y *glasnost*. Castro denunció estas reformas y afirmó que amenazaban los principios del socialismo.

Cuando la Unión Soviética cayó en 1991, la economía cubana experimentó un gran declive. La potencia comunista había proporcionado a Cuba una ayuda financiera anual de miles de millones de dólares. A Castro le debió parecer que el socialismo estaba en las últimas. Las últimas tropas soviéticas abandonaron Cuba en septiembre de 1991.

Durante la última década de Castro en el poder, se aseguró de que la ideología marxista-leninista siguiera viva en América Latina. Apoyó a líderes como Hugo Chávez en Venezuela. Castro se retiraría de su papel como gobernante de Cuba tras casi medio siglo en el poder. Su hermano Raúl tomaría el relevo en 2008.

Las relaciones entre Estados Unidos y Cuba se restablecieron cuando Raúl Castro y el presidente de Estados Unidos, Barack Obama, llegaron a acuerdos que ampliaron el comercio y los viajes. En casa, Raúl comenzó a descentralizar y a relajar muchas de las políticas económicas que su hermano había promulgado.

Para cuando Obama dejó la presidencia en 2017, derogaría la política de «pies secos, pies mojados». Cuando se promulgó en 1995, los cubanos que habían escapado y desembarcado con éxito en suelo estadounidense tenían derecho a quedarse y recibir la ciudadanía estadounidense.

Cuando Donald Trump asumió la presidencia, algunas de estas políticas se revirtieron, pero los lazos entre los dos países permanecieron intactos.

Fidel Castro murió a la edad de noventa años el 25 de noviembre de 2016. Dejó un legado controvertido. Todavía hay cubanos y otros en todo el mundo que lo admiran, pero también hay muchos que están resentidos por lo que su régimen hizo a la nación insular de Cuba.

Reflexiones finales

Fidel Castro puso en vilo a Estados Unidos durante muchas décadas por su asociación con la Unión Soviética. Estados Unidos creía que el comunismo era la mayor amenaza para la libertad y haría cualquier cosa para evitar su propagación.

Así, cualquier presencia del comunismo cerca de sus costas era vista como un acto de hostilidad. Sin embargo, en el siglo XXI, las tensiones se suavizaron y los lazos diplomáticos entre ambos países se normalizaron.

El futuro de las relaciones entre Cuba y Estados Unidos parece prometedor, aunque hay algunos informes preocupantes. Cuba sigue siendo una nación comunista, por lo que es probable que exista la amenaza de tensiones durante las próximas décadas. Sin embargo, la amenaza de guerra no es alta, especialmente si se compara con la Guerra Fría.

Capítulo 10 - El Caribe a finales del siglo XX hasta la actualidad

La Unión Soviética se derrumbó en 1991, poniendo fin a la amenaza del comunismo en el Caribe. Cuba permaneció (y sigue siendo) la única nación marxista-leninista de América. Y aunque Cuba sufrió un declive económico, Castro se mantuvo firme en gobernar el país a su manera.

Con la excepción de Cuba, algunas naciones del Caribe celebrarían elecciones libres por primera vez en muchos años, ya que la amenaza de las dictaduras autoritarias había desaparecido. Sin embargo, algunas naciones siguieron enfrentándose a disturbios contra los gobiernos que estaban en el poder.

El resto del Caribe disfrutaría de paz y prosperidad a lo largo de la última década del siglo XX y hasta la actualidad, si se compara con principios del siglo XX. Su economía se ha visto reforzada por el comercio y el turismo. Sin embargo, la pobreza y la violencia siguen siendo frecuentes en la mayoría de los países del Caribe en la actualidad. Este capítulo abarcará los últimos diez años del siglo XX y un poco sobre la actualidad.

Haití en los años de Aristide y el conflicto actual

Por primera vez desde su creación en 1804, Haití celebró sus primeras elecciones democráticas en 1990. El principal candidato fue Jean-Bertrand Aristide, que ganó las elecciones y tomó posesión del cargo el 7 de febrero de 1991. Unos ocho meses después, fue derrocado en un golpe de estado debido a sus reformas progresistas y exiliado.

Su exilio duraría tres años. Muchos haitianos residentes en Estados Unidos apoyaron a Aristide y pidieron al presidente Bill Clinton que interviniera para devolver al líder depuesto al poder en octubre de 1994.

Aristide fue reelegido presidente en 2000. Durante su mandato, reclamó a Francia el pago de 21.000 millones de dólares por los efectos de la colonización francesa y los acontecimientos ocurridos entre 1825 y 1947. Aristide se enfrentó a los rebeldes, que crearon conflictos violentos en su empeño por apartar al presidente del poder.

En 2004, Aristide volvió a exiliarse. Esta vez, huiría a Sudáfrica, aunque él y otros afirmarían que había sido secuestrado. Todavía se debate lo ocurrido, pero Aristide afirmó que Estados Unidos y Francia tuvieron algo que ver con su secuestro. El gobierno sudafricano proporcionó al líder depuesto y a su familia alojamiento y personal. Mientras estaba allí, estudió lenguas africanas en la Universidad de Sudáfrica.

A pesar de estar en el exilio, siguió criticando la política actual de Haití. Los Lavalas (organización política que apoyaba a Aristide) fueron blanco de ataques. Algunos fueron severamente golpeados, secuestrados y/o asesinados.

Con el paso de los años, se empezó a hablar cada vez más de traer a Aristide de vuelta a Haití. Finalmente regresó a Haití en 2011. Tras su regreso, se retiró del mundo político. Pero tres años después, en septiembre de 2014, Aristide fue puesto bajo arresto domiciliario en el marco de una investigación por corrupción.

A día de hoy, Aristide ya no está bajo arresto domiciliario. En 2021, pasó un mes en Cuba para lo que se describió como «tratamiento médico». Actualmente vive en Haití y mantiene un perfil bajo de la vida pública.

El legado de Aristide se recuerda como positivo. Ayudó a aprobar varias reformas que beneficiaron al país, como la mejora de la educación y la sanidad para los ciudadanos de Haití. Aristide mejoró las libertades civiles y los derechos humanos. También disolvió los grupos paramilitares. (¿Recuerda a los Tonton Macoute? Todavía existían, pero Aristide y los Lavalas ayudaron a disolverlos). Aunque Aristide ha sido acusado de violar los derechos humanos a la hora de frenar las rebeliones, la mayoría de la gente tiene una opinión positiva de él, ya que hizo mucho por llevar a Haití al futuro.

Terremotos en Haití

El 12 de enero de 2010 se produjo un terremoto de 7 grados de magnitud cerca de Leogane. Alrededor de tres millones de personas se vieron afectadas, y se cree que el número de muertos oscila entre 100.000 y 316.000.

Puerto Príncipe y muchas ciudades cercanas sufrieron daños masivos. Debido a los miles de muertos, los hospitales y los depósitos de cadáveres estaban repletos de haitianos muertos. Muchos de ellos fueron enterrados en fosas comunes.

Cerca de 300.000 edificios resultaron gravemente dañados hasta el punto de que lo más fácil era demolerlos. Casi todo Leogane quedó destruido. Muchas personas durmieron en las calles, mientras que otras construyeron barrios de chozas cerca de sus casas destruidas.

La República Dominicana se preparó para recibir a los refugiados a lo largo de su frontera. Se enviaron recursos a Haití, pero su despliegue fue lento.

Se produjeron saqueos y escaramuzas violentas días después de que el terremoto remitiera. A pesar de ello, muchos haitianos se mostraron unidos por la tragedia y marcharon pacíficamente mientras aseguraban las calles.

Estados Unidos utilizó a sus militares para enviar suministros a Haití, ya que la mayor parte de su sistema de agua estaba llena de residuos. Los esfuerzos de recuperación continuaron durante la década de 2010. Más de dos millones de haitianos seguían necesitando ayuda en 2017. Otro terremoto sacudió el país en 2021, esta vez de 7,2 grados en la escala de magnitud. Fue ligeramente más fuerte que el terremoto de 2010, y más de dos mil personas murieron como resultado. Cientos de miles de personas necesitaron ayuda. Los esfuerzos de recuperación se vieron obstaculizados por la depresión tropical Grace, y aunque Haití ha recibido algo de ayuda, todavía necesita millones de dólares para volver a la normalidad.

La confianza de los haitianos en su gobierno es baja, en parte debido al asesinato de Jovenel Moïse el 7 de julio de 2021. Se cree que su muerte fue causada por sus esfuerzos para obstaculizar el tráfico de drogas. Haití ha visto el aumento de las bandas, cuyos miembros superan en número y en número a las fuerzas policiales.

Actualmente, Haití sigue recuperándose de los dos grandes terremotos. Se desconoce cuándo el país alcanzará la recuperación completa. Sin embargo, el país tiene grandes esperanzas en su estabilidad futura.

Seguridad en el Caribe

Durante la mayor parte del siglo XX, los regímenes comunistas, las guerrillas y la subversión de las potencias extranjeras se consideraron amenazas a la seguridad en el Caribe, al menos desde fuera. En la última década del siglo, ese enfoque cambió.

El Caribe empezó a centrarse en la estabilidad política y en acabar con el narcotráfico. La cadena de suministro de drogas comenzó en gran parte de América Latina. Los traficantes pasaban por el Caribe de camino a Estados Unidos.

A lo largo de la década de 1990, la Cumbre de las Américas debatió sobre los Estados Unidos y las naciones del Caribe, y su estrategia de seguridad. Buscó políticas que crearan un Caribe más seguro sin amenazar la soberanía de las naciones, incluida Cuba.

Restablecimiento de las relaciones entre Estados Unidos y Cuba

Estados Unidos y Cuba mantuvieron unas malas relaciones desde principios de la década de 1960. En 2009, el presidente estadounidense Barack Obama insinuó que la relación entre ambos países se descongelaría después de más de medio siglo. Obama levantó las restricciones de viaje y permitió a los cubanoamericanos enviar dinero a sus familiares que viven en Cuba por primera vez en décadas.

El 17 de diciembre de 2014, Obama y Raúl Castro anunciaron que ambos países restablecerían sus relaciones diplomáticas. Estados Unidos reabrió su embajada en La Habana, y al año siguiente, Estados Unidos retiró a Cuba de su lista de estados que patrocinan el terrorismo.

Obama se convirtió en el primer presidente en ejercicio en casi un siglo en visitar Cuba, haciéndolo en 2016. Pidió al gobierno cubano que continuara con la liberalización de sus políticas económicas. Las señales de mejora de las relaciones comenzaron cuando los aviones comerciales estadounidenses ofrecieron vuelos a Cuba. El gobierno de EE. UU. también derogó la política de «pies secos, pies mojados» y levantó los embargos comerciales.

Una fotografía de Barack Obama reuniéndose con Raúl Castro
https://en.wikipedia.org/wiki/File:Press_conference,_Havana.jpg

El presidente de EE. UU., Donald Trump, restableció algunas restricciones de las que se había deshecho Obama. En mayo de 2022, el presidente Joe Biden volvió a poner en marcha algunas políticas, como las remesas familiares, el programa de reunificación familiar y las medidas de viaje. Los lazos entre Cuba y Estados Unidos siguen intactos, a pesar de la preocupación por la salud y la seguridad del personal diplomático situado en la nación insular.

El síndrome de La Habana, como ha sido bautizado, es una misteriosa enfermedad que provoca mareos y pérdida de audición. Los primeros casos reportados comenzaron en 2016, pero el número de casos repuntó al año siguiente. Bajo el mandato de Trump, Estados Unidos expulsó a diplomáticos cubanos del país debido a esta misteriosa enfermedad, creyendo que Cuba estaba detrás de ella. Cuba denunció la expulsión y acusó a la administración Trump de dar marcha atrás en la normalización de los lazos. Todavía no se sabe qué causa el síndrome de La Habana, aunque se ha descartado la participación extranjera en la mayoría de los casos.

La era de los Castro terminó cuando Raúl Castro dejó la presidencia en 2018. Fue sustituido por Miguel Díaz-Canel, convirtiéndose en el primer líder cubano sin el apellido Castro en casi sesenta años.

Barbados se convierte en una República

Hay tantos países en el Caribe que, desgraciadamente, no tenemos espacio para verlos todos, pero vamos a ver uno más en profundidad. Barbados estuvo bajo la autoridad de la Corona británica desde su descubrimiento en 1625, aunque fue colonizado oficialmente dos años después. El país pronto se convertiría en una de las principales sedes de la autoridad en el Caribe británico.

El primer referéndum de Barbados para convertirse en una república se celebró en 2008 (se había presentado uno en el Parlamento en 2000, pero no llegó a ninguna parte). El referéndum coincidió con las elecciones generales. Sin embargo, la votación del referéndum se canceló por motivos de seguridad electoral. El referéndum no se retomaría hasta siete años después, cuando el primer ministro Freundel Stuart lo planteó.

El Parlamento de Barbados intentó aprobar una enmienda constitucional para confirmar su independencia como república. Aunque había suficiente para reunir una mayoría de dos tercios en el Senado, la Asamblea Legislativa no tenía los votos necesarios. No fue aprobada por la Cámara. Sin embargo, a la tercera fue la vencida cuando la primera ministra Mia Mottley (la primera mujer en ser primera ministra de Barbados) anunció que Barbados se convertiría en una república en 2021.

El 30 de noviembre de 2021, Barbados abolió la monarquía y se convirtió en una república. Sandra Mason se convirtió en la primera presidenta de la República de Barbados y recibió los buenos deseos de la familia real británica. En la actualidad, Barbados es una república bajo la Commonwealth británica.

Reflexiones finales

En la actualidad, el Caribe sigue teniendo muchos retos que superar, como los disturbios políticos en Haití, el alto índice de asesinatos en Jamaica y la delincuencia en San Cristóbal y Nieves. Aunque el Caribe suele ser seguro para los turistas, la gente que vive en la mayoría de los países caribeños contaría una historia diferente. (Si va a viajar al Caribe o a cualquier otra parte del mundo, asegúrese siempre de comprobar las directrices de viaje actualizadas).

Cuba y Estados Unidos crearon un nuevo camino hacia el restablecimiento de las relaciones diplomáticas. Barbados se convirtió en una república y ya no tuvo que responder ante la Corona británica.

Al convertirse Barbados en una república independiente, queda por ver el futuro de otras naciones caribeñas, especialmente tras la ascensión del rey Carlos III al trono británico. ¿Seguirán su ejemplo otras naciones, como San Cristóbal y Nieves y Jamaica? ¿Se encontrará Curazao declarando su plena independencia de los holandeses?

No podemos predecir el futuro. Sin embargo, no debería sorprendernos que las naciones caribeñas que aún están bajo el control de los países europeos busquen su independencia en los próximos años.

Conclusión

La historia del Caribe es vasta y rica. Es una pena que no tengamos tiempo para hablar de las islas con más detalle. Le animamos a leer y descubrir más sobre la región; nuestras fuentes al final del libro le indicarán la dirección correcta.

A lo largo de la historia, el Caribe ha sido considerado una fuente de riqueza, ya sea por el lucrativo comercio del azúcar o por sus playas de ensueño. Pero no debemos olvidar que antes de que el Caribe fuera descubierto por los europeos, varios grupos de indígenas lo llamaban hogar. Los taínos sufrieron mucho durante la colonización. Las enfermedades, el hambre y muchos otros factores contribuyeron a su casi extinción. Los descendientes de los taínos siguen existiendo en la actualidad. Los kalinago (caribes) tienen su propio territorio en Dominica, en las Antillas Menores.

España fue la primera en establecer su dominio en la región. Pero otras grandes potencias, como Francia e Inglaterra, no se quedarían atrás. Incluso naciones europeas más pequeñas, como Dinamarca y Suecia, ocuparon brevemente partes del Caribe.

Con el paso de los años, el Caribe fue testigo de la prosperidad económica de las colonias. Sin embargo, se construyó sobre la base del comercio de esclavos. Los esclavos se enfrentaban a la violencia, la tortura e incluso la muerte mientras trabajaban en las peores condiciones posibles. Los esclavos y los liberados aprovecharon las oportunidades para rebelarse contra los colonos blancos. La mayoría de las revueltas fracasaron, pero otras tuvieron éxito. Una de ellas incluso condujo a la independencia.

Cuando Estados Unidos se convirtió en una nación más poderosa, puso sus ojos en el Caribe. Promulgó políticas para impedir las invasiones extranjeras, al tiempo que justificaba sus propias acciones en las Américas. Hoy, Estados Unidos conserva los territorios de Puerto Rico y las Islas Vírgenes.

Debido a su proximidad y poder, Estados Unidos tuvo una gran importancia en la historia del Caribe de los siglos XIX y XX (y probablemente también la tendrá durante el siglo XXI). Se ganaría tanto aliados como adversarios en la región. Por ejemplo, cuando el peligro potencial del comunismo llamó a su puerta trasera con la ascensión de Fidel Castro en Cuba, Estados Unidos tomó nota e intervino.

Hasta ahora, el siglo XXI ha sido testigo de cómo más naciones se han independizado de las potencias europeas, y parece probable que esto continúe a lo largo del siglo. Aunque el Caribe se enfrenta hoy a una buena cantidad de problemas, acoge a turistas de todo el mundo en sus idílicas playas de arena blanca y aguas cristalinas. No se sabe qué le depara el futuro al Caribe, pero la historia nos dice que debemos prestar atención, pues es probable que la historia se vaya gestando con el paso de los años.

Vea más libros escritos por Captivating History

LA EDAD DE ORO DE LA PIRATERÍA

UNA GUÍA FASCINANTE SOBRE EL PAPEL DE LOS PIRATAS EN LA HISTORIA MARÍTIMA DE LA PRIMERA ÉPOCA MODERNA Y LAS HISTORIAS DE ANNE BONNY, SIR FRANCIS DRAKE Y WILLIAM KIDD

CAPTIVATING HISTORY

Fuentes

McIntosh, Matthew (2020, June 2). *Caribbean Histories: Early Migration to Slavery to 20th-Century Transitions*. Brewminate. Extraído el 8 de septiembre de 2022, de https://brewminate.com/caribbean-histories-early-migration-to-slavery-to-20th-century-transitions/

The American Revolution in the Caribbean: The untold story. Smithsonian Associates. (n.d.). Extraído el 8 de septiembre de 2022, de https://smithsonianassociates.org/ticketing/tickets/american-revolution-in-caribbean-the-untold-story

Board, E., Studien, F. T., & Stiftung, M. W. (n.d.). *War and Revolution in the Caribbean - The Lesser Antilles, 1789-1815.* TRAFO. Extraído el 8 de septiembre de 2022, de https://trafo.hypotheses.org/18614

Brief Histories: The Caribbean. Brief Histories: The Caribbean | Reviews in History. (n.d.). Extraído el 8 de septiembre de 2022, de https://reviews.history.ac.uk/review/549

The British West Indies. The British Empire in The Caribbean: The British West Indies. (n.d.). Extraído el 8 de septiembre de 2022, de https://www.britishempire.co.uk/maproom/caribbean.htm

Caribbean Theater of the American Revolutionary War. Military Wiki. (n.d.). Extraído el 8 de septiembre de 2022, de https://military-history.fandom.com/wiki/Caribbean_theater_of_the_American_Revolutionary_War

Chen, C. P. (n.d.). *Caribbean Sea and Gulf of Mexico Campaigns.* WW2DB. Extraído el 8 de septiembre de 2022, de https://ww2db.com/battle_spec.php?battle_id=276

Emmer, P. C., & Gommans, J. J. L. (n.d.). *The Caribbean (Chapter 4) - The Dutch Overseas Empire, 1600–1800*. Cambridge Core. Extraído el 8 de septiembre de 2022, de https://www.cambridge.org/core/books/dutch-overseas-empire-16001800/caribbean/825DE672F0E6D7948FD8B8F740539D3E

Encyclopedia Britannica, inc. (n.d.). *2010 Haiti Earthquake*. Encyclopedia Britannica. Extraído el 8 de septiembre de 2022, de https://www.britannica.com/event/2010-Haiti-earthquake

Encyclopedia Britannica, inc. (n.d.). *French Revolution*. Encyclopedia Britannica. Extraído el 8 de septiembre de 2022, de https://www.britannica.com/event/French-Revolution

Europe in the Age of the Religious Wars, 1560-1575. Historyguide.org. (n.d.). Extraído el 8 de septiembre de 2022, de http://www.historyguide.org/earlymod/lecture6c.html

European Wars of Religion. Military Wiki. (n.d.). Extraído el 8 de septiembre de 2022, de https://military-history.fandom.com/wiki/European_wars_of_religion

Ferguson, J. (5 de mayo de 2020). *On the Home Front: World War I and the Caribbean*. Caribbean Beat Magazine. Extraído el 8 de septiembre de 2022, de https://www.caribbean-beat.com/issue-128/home-front

France & French Collections at the Library of Congress: Americas & the Caribbean. Research Guides. (n.d.). Extraído el 8 de septiembre de 2022, de https://guides.loc.gov/french-collections/francophone-studies/americas-caribbean

French and Dutch Settlements in North America. History for kids. (27 de abril de2020). Extraído el 8 de septiembre de 2022, de https://www.historyforkids.net/american-history/new-explorers/french-and-dutch-settlements.html/

History Today | Publicado en History Today Volumen 71 Número 5 Mayo 2021. (n.d.). *Is Caribbean History the Key to Understanding the Modern World?* History Today. Extraído el 8 de septiembre de 2022, de https://www.historytoday.com/archive/head-head/caribbean-history-key-understanding-modern-world

History.com Editors. (9 de noviembre de 2009). *French Revolution*. History.com. Extraído el 8 de septiembre de 2022, de https://www.history.com/topics/france/french-revolution

Khan Academy. (n.d.). *French and Dutch Exploration in the New World*. Khan Academy. Extraído el 8 de septiembre de 2022, de https://www.khanacademy.org/humanities/us-history/colonial-america/early-english-settlement/a/french-and-dutch-exploration

Magazine, S. (1 de octubre de 2009). *Columbus' Confusion about the New World*. Smithsonian.com. Extraído el 8 de septiembre de 2022, de https://www.smithsonianmag.com/travel/columbus-confusion-about-the-new-world-140132422/

Magazine, S. (1 de octubre de 2011). *What Became of the Taino?* Smithsonian.com. Extraído el 8 de septiembre de 2022, de https://www.smithsonianmag.com/travel/what-became-of-the-Taino-73824867/

McLean, J. (n.d.). *History of Western Civilization II*. French Explorers | History of Western Civilization II. Extraído el 8 de septiembre de 2022, de https://courses.lumenlearning.com/suny-hccc-worldhistory2/chapter/french-explorers/

Minster, C. (18 de julio de 2021). *Why Did the U.S. Military Occupy Haiti from 1915 to 1934?* ThoughtCo. Extraído el 8 de septiembre de 2022, de https://www.thoughtco.com/haiti-the-us-occupation-1915-1934-2136374

Morris, W. B. B. G. (8 de octubre de 2021). *Dictatorship Masked as Democracy: A Timeline of the 1915 U.S. Invasion and Occupation of Haiti*. NewsOne. Extraído el 8 de septiembre de 2022, de https://newsone.com/4214447/a-timeline-of-the-1915-u-s-invasion-and-occupation-of-haiti/

National Geographic Society. (7 de agosto de 2015). *The Dutch Influence in New Netherland*. National Geographic Society. Extraído el 8 de septiembre de 2022, de https://www.nationalgeographic.org/activity/the-dutch-influence-in-new-netherland/

Pirates and Plantations: Exploring the Relationship between Caribbean Piracy and the Plantation Economy during the Early Modern Period. Tucaksegee Valley Historical Review. (n.d.). Extraído el 8 de septiembre de 2022, de https://affiliate.wcu.edu/tuckasegeevalleyhistoricalreview/spring-2020/pirates-and-plantations-exploring-the-relationship-between-caribbean-piracy-and-the-plantation-economy-during-the-early-modern-period/

The Problem of Emancipation: The Caribbean Roots of the American Civil War. The Problem of Emancipation: The Caribbean Roots of the American Civil War | Department of African American Studies. (1 de enero de 1970). Extraído el 8 de septiembre de 2022, de https://afamstudies.yale.edu/publications/problem-emancipation-caribbean-roots-american-civil-war

---

Ransome, D. (n.d.). *World War One and the Caribbean.* Caribbean Intelligence. Extraído el 8 de septiembre de 2022, de https://www.caribbeanintelligence.com/content/world-war-one-and-caribbean

Ronald Reagan on the Caribbean! Grasping Reality by Brad DeLong. (n.d.). Extraído el 8 de septiembre de 2022, de https://delong.typepad.com/sdj/2007/06/ronald-reagan-5.html

Rotton, T. (9 de junio de 2022). *2021 Haiti Earthquake and Tropical Storm Grace.* Center for Disaster Philanthropy. Extraído el 8 de septiembre de 2022, de https://disasterphilanthropy.org/disasters/2021-haiti-earthquake-and-tropical-storm-grace/

Shaw, M. (9 de septiembre de 2013). *The Trent Affair.* The British Library - The British Library. Extraído el 8 de septiembre de 2022, de https://www.bl.uk/onlinegallery/onlineex/uscivilwar/britain/trentaffair/trentaffair.html

A Spotlight on a Primary Source by Christopher Columbus. (n.d.). *Columbus Reports on His First Voyage.* Columbus reports on his first voyage, 1493 | Gilder Lehrman Institute of American History. Extraído el 8 de septiembre de 2022, de https://www.gilderlehrman.org/history-resources/spotlight-primary-source/columbus-reports-his-first-voyage-1493

U.S. Intervention in the Caribbean. New Articles RSS. (n.d.). Extraído el 8 de septiembre de 2022, de https://encyclopedia.1914-1918-online.net/article/us_intervention_in_the_caribbean

Who Were the Real Pirates of the Caribbean? Royal Museums Greenwich. (n.d.). Extraído el 8 de septiembre de 2022, de https://www.rmg.co.uk/stories/topics/who-were-real-pirates-caribbean

Printed in the USA
CPSIA information can be obtained
at www.ICGtesting.com
LVHW011648271223
767218LV00007B/321